MIRA HACIA ATRÁS
Y RÍETE

Robert Fisher

Mira hacia atrás
y ríete

EDICIONES OBELISCO

Si este libro le ha interesado y desea que le mantengamos informado
de nuestras publicaciones, escríbanos indicándonos qué temas son
de su interés (Astrología, Autoayuda, Ciencias Ocultas, Artes Marciales,
Naturismo, Espiritualidad, Tradición...) y gustosamente le complaceremos.

Puede consultar nuestro catálogo en http://www.edicionesobelisco.com

Colección Obelisco Narrativa
MIRA HACIA ATRÁS Y RÍETE
Robert Fisher

1ª edición: junio de 2001
2ª edición: diciembre de 2003

Ilustración de cubierta: *Ricard Magrané*
Diseño de cubierta: *Michael Newman*
Maquetación: *Marta Rovira*
Traducción: *Verónica d'Ornellas*

© 2001 by Robert Fisher
(Reservados todos los derechos)
© 2001 by Ediciones Obelisco S.L.
(Reservados todos los derechos para la presente edición)

Edita: Ediciones Obelisco S.L.
Pere IV, 78 (Edif. Pedro IV) 4ª planta 5ª puerta.
08005 Barcelona-España
Tel. 93 309 85 25 - Fax 93 309 85 23
Castillo, 540 -1414 Buenos Aires (Argentina)
Tel y Fax 541 14 771 43 82
E-mail: obelisco@edicionesobelisco.com

ISBN: 84-7720-865-4
Depósito Legal: B-45.680-2003

Printed in Spain

Impreso en España en los talleres gráficos de Romanyà/Valls S.A.
Verdaguer, 1 – 08076 Capellades (Barcelona)

PARA MAURICE KELLER
Quien me ha inspirado este libro
y me ha recordado lo mucho que la gente necesita reír
y lo mucho que yo necesito el dinero.

Prefacio

Aunque este libro hace referencia a la vida de muchos cómicos, no ha sido mi intención relatar la biografía de ninguno de ellos. Simplemente deseo compartir con ustedes la risa y las historias que tuvieron lugar cuando mi vida se entrelazó con la de ellos.

También he querido compartir el profundo significado que la risa tiene para mí, ya que he dedicado estos últimos cincuenta y dos años a escribir comedia. He descrito, lo mejor que he podido, ciertas experiencias interiores que resultaron de ello.

La risa es una experiencia sumamente fugaz y nos sumergimos en ella entre las lágrimas del sufrimiento y la tristeza. Cuando superemos el último resquicio que nos queda de sufrimiento y de tristeza, viviremos para siempre en la risa de nuestros corazones.

ROBERT FISHER

Groucho

CHICA JOVEN Y BONITA: Groucho,
¿nunca te fijas en una chica por su mente?
GROUCHO: Sí, pero me gusta mucho más
por lo que no tiene en la mente.

Éste es el clásico chiste que solía escribir durante mi imberbe, chovinista y dorada juventud. El humor me permitió sacar la hostilidad que sentía hacia mi madre y, al mismo tiempo, ganar un sueldo importante.

A los diecinueve años, me dedicaba a montar los carteles de anuncios en la radio CBS, en Sunset y Gower. Este trabajo consistía en encaramarme sobre una caja de metal de casi dos metros de altura y encordar unas letras, de medio metro cada una, en un alambre. El cartel anunciaba los grandes programas de radio que se transmitían cada noche. El día que miré la tira de papel que ponía lo que debía decir el cartel y vi, GROUCHO MARX EN EL AIRE PARA LA CERVEZA PABST BLUE RIBBON, coloqué las letras con la certeza de que, finalmente, tendría la oportunidad de conocer a mi cómico favorito.

A la hora de la transmisión, me encontraba en la tercera fila, temblando por la expectación. Cuando el programa terminó, esperé a que la multitud saliera. Subí al escenario con la intención de decir: «Señor Marx, usted ha sido mi cómico favorito durante toda mi vida, ¿puedo estrecharle la mano?». Cuando me encontré delante de Groucho, le dije esto, pero, ante la sorpresa de ambos, añadí: «Y puedo escribir para usted».

Groucho meneó el puro, levantó las cejas con desaprobación y dijo:

—A ver, repite eso.

Reuní valor y repetí:

—Puedo escribir para usted.

Debo aclarar que, a los diecinueve años, aparentaba unos once años, aproximadamente. Me miró con desconfianza y preguntó:

—¿Ya has tenido tu barmitzvah?

Pues sí, lo había tenido y repliqué:

—Sí.

Y sentí que había pasado la primera prueba.

Él se volvió hacia su productor, Dick Mack, y dijo:

—Que este muchacho te entregue una hoja de chistes.

Recuerdo que aquella noche irrumpí en la sala de estar, donde se encontraban mis padres y mis abuelos, gritando: «¡Soy escritor, soy escritor!» Les conté lo sucedido y ellos me siguieron hasta mi máquina de escribir y se colocaron detrás de mí, observándome mientras deslizaba una hoja de papel dentro del rodillo y empezaba a escribir mi primera página de chistes.

Coloqué los dedos sobre las teclas y entonces recordé algo… yo no sabía escribir, pero sí sabía robar. Compré un libro titulado *10.000 chistes, brindis e histo-*

rias. Tenía unos diez centímetros de grosor. Mi castigo por este robo intencionado fue pasar todo el mes siguiente leyendo los peores chistes, brindis e historias que había leído en toda mi vida. Al final de ese mes, sólo tenía sobre el papel tres chistes que estuviera dispuesto a robar. Esto dejaba unos ocho centímetros de espacio debajo, en la parte inferior de la página. Yo era un chico literal y Groucho había especificado una página de chistes. Súbitamente, se me ocurrió un chiste... mi propio chiste... Lo puse por escrito y la página quedó completa.

A la semana siguiente, después de que Groucho hubiera acabado su programa y el público se hubiera marchado, subí al escenario y le entregué mi página.

Le echó un vistazo y dijo:

—Los tres primeros chistes son de *10.000 chistes, brindis e historias*.

Me quedé mirándolo fijamente, asombrado ante su buena memoria. Todo lo que fui capaz de responder fue:

—¿Usted también lo ha leído?

—Sí —replicó—, pero el último chiste es original... No es muy bueno, pero es original.

Me examinó especulativamente con la mirada, y luego le dijo a Dick Mack que se acercara.

—Dick —dijo—, ponlo a prueba como escritor subalterno durante cuatro semanas.

Me quedé completamente pasmado. Acababa de entrar a formar parte del equipo de escritores de uno de los mejores programas de radio de los años cuarenta.

Las tres semanas siguientes fueron una pesadilla. Tardaba cinco días en escribir dos chistes, a veces tres. Después de colocar el anuncio, me sentaba entre el público para escuchar y comprobar si habían usado mis chistes. Cuando utilizaban uno de ellos, o todos, me reía a pleno pulmón, en parte para aliviarme y en parte para conseguir que el resto del público se riera tanto como yo.

En la tercera semana no utilizaron ninguno de mis chistes y me di cuenta de que, a los diecinueve años, estaba acabado como escritor. Fui al centro de la ciudad y me presenté a un empleo como detective privado. Como todavía estaba orientado hacia la radio, tenía la idea romántica de que así podría tener una vida emocionante como la de Sam Spade, mi detective favorito de la radio.

En la cuarta semana, y la que sentía que sería mi última semana con el equipo de escritores del programa, Groucho, el productor y yo nos reunimos en el despacho del productor. Groucho había convocado la reunión porque no deseaba utilizar el formato normal en su programa. Quería que hiciera una historia como la de Jack Benny. En aquella época, Benny era el único que creaba un argumento en el que todos los chistes estaban relacionados con un mismo tema, con un principio, un parte central y un final, como una historia normal. A todos los escritores les invadió la inquietud. La idea de un programa con una historia era muy nueva y ninguno de ellos había escrito, jamás, algo así. Y, como yo ni siquiera sabía escribir, sentí que probablemente había asegurado mi futuro al presentarme a un empleo como detective privado.

Recuerdo claramente aquella conversación debido a un incidente en el que estaba implicada Selma Diamond. Selma formaba parte de nuestro equipo de escritores y era la primera mujer escritora de comedia. Probablemente muchos de vosotros la habéis visto, en sus últimos años, en varios programas de entrevistas, como el de Jack Paar. Entonces Selma era una hermosa mujer que rondaba la treintena, y su «arquitectura» era similar a la de Kim Bassinger. Selma cosía muy bien y llevaba puesta una blusa que ella misma había confeccionado. Había bordado la inicial «S» en la blusa, pero había colocado el monograma un poco más abajo del lugar pensado inicialmente: la «S» se encontraba justo sobre el pezón de su, muy bien esculpido, pecho izquierdo. Groucho entró en la habitación, pasó junto a Selma arrastrando los pies, relató una parte de la historia, volvió a mirarla y dijo:

—¿Y cómo se llama el otro?

Selma replicó que se lo diría si él renunciaba a esa idea que había tenido de hacer un programa que fuese una historia. Groucho, sin embargo, se mantuvo firme, lo cual era más de lo que se podría decir de los pechos de Selma. Nos pidió a cada uno de nosotros que nos fuésemos a casa, solos, y escribiésemos una historia y un guión. Este procedimiento era distinto al habitual, ya que los escritores de más nivel se reunían y, juntos, escribían los chistes.

Aquella tarde, cuando llegué a casa, me sentí absolutamente deprimido. Para mi sorpresa, unos veinte minutos más tarde se me ocurrió algo que me pareció que podía ser una historia. Llamé a Dick Mack, se la conté y le pregunté si eso era una historia.

—¿Cómo diablos quieres que lo sepa? Escríbela —replicó.

En aquellos días, un guión de radio tenía aproximadamente dieciocho páginas, sin contar los espacios entre líneas. Yo había tardado cinco días en escribir dos o tres chistes, y sólo tardé tres días en escribir las dieciocho páginas completas. Ahora sí que estaba realmente deprimido; estaba convencido de que el guión era malísimo, pero lo que desconocía era que la comedia de situación era mi fuerte.

Le entregué el guión a Dick Mack y luego me puse en contacto con la agencia de detectives para ver cómo iba mi solicitud de trabajo. No llamé a nadie del programa, ya que no quería oír que estaba despedido.

El jueves siguiente, después de cambiar el cartel, entré en el estudio para ver el preestreno del espectáculo de Groucho. En aquella época, todos los programas de radio hacían preestrenos unos días antes del programa en vivo. Según la reacción de los asistentes, se retocaban los guiones con la esperanza de que el día de la transmisión el público se riera. No había ninguna transcripción, ninguna cinta: uno actuaba en vivo y si no era buenísimo, moría.

Me colé entre el público con la esperanza de que ni Groucho ni ninguna otra persona del equipo, me viera. Rezaba para que algunos de mis chistes se utilizaran. Se había hecho mucha publicidad para este programa en particular porque Oscar Levant era el invitado de Groucho.

Oscar también era bastante ingenioso. En una ocasión le preguntaron cuál creía él que sería una película para mujeres:

—Una película para mujeres es una película en la cual la mujer comete adulterio y el hombre le pide perdón.

En una ocasión lo trajeron a Hollywood para trabajar con Arthur Freed, el mejor realizador de comedias musicales para largometrajes. Freed conseguía, en gran medida, hacer las cosas como él deseaba. Le preguntaron a Oscar cómo era trabajar con Arthur Freed:

—Era muy sencillo. Nos reuníamos cada tarde e intercambiábamos ideas —respondió LeVant.

En cualquier caso, Groucho salió al escenario y realizó el calentamiento para que el público se acostumbrase a la idea de que estaba ahí para reírse. Empezó el programa y yo me quedé paralizado en mi butaca: utilizaron mi material de principio a fin.

Las carcajadas fueron sonoras y los programas futuros con invitados fueron diseñados según la estructura que yo había diseñado.

Después del programa, acudí a los camerinos y fui recibido como un joven héroe. Todos los escritores me dieron palmaditas en la espalda y yo conseguí darle algunas palmaditas a Selma Diamond.

Incluso Artie Stander me felicitó. Artie era el escritor principal, hosco y brillante, y fue el primero de nuestro equipo de escritores en visitar a un psiquiatra.

Aproximadamente un año después, cuando ya lo conocía lo suficiente como para insultarlo, le dije:

—Artie, has ido tres años a un psiquiatra y sigues siendo una persona horrible... ¿Qué tiene de bueno la psiquiatría?

—Que ahora sé por qué soy una persona horrible.

Artie también fue el primero de nosotros en ser capaz de escribir humor negro. Recuerdo un chiste de ese tipo que hizo para Groucho. Era la historia de un hombre que se encontraba en una balsa salvavidas con su perro. Habían estado en el mar durante unos veinte días. Para entonces, el hombre estaba tan hambriento que no le quedó otra opción que comerse el perro. No dejó nada, sólo una pila de huesos. El hombre miró la pila de huesos y dijo:

—Qué pena, a Rover le hubieran encantado.

Volvamos a mi gran noche. En medio de toda esa adulación, me di cuenta de que no había retirado el nombre de Groucho del cartel. Todavía conservaba el empleo de los carteles por si no me salía lo de detective privado.

Me subí a la plataforma de unos dos metros y, cuando acababa de retirar la «G» de Groucho, él apareció inesperadamente por la puerta delantera. Normalmente se escurría por la trasera para evitar a las multitudes. Cuando pasó por debajo de mí, le dije:

—Buenas noches, señor Marx —él se detuvo, miró hacia arriba y se acercó.

Sus cejas se arquearon de asombro:

—¿Tú no eres mi nuevo escritor?

–Sí, señor –repliqué.

Señaló el cartel:

–Entonces, ¿por qué estás haciendo eso? ¿Para avergonzarme?

–No, señor –dije–. Sólo conservo este trabajo porque me pareció que escribir no era muy seguro.

Groucho se reía muy rara vez y en ese momento no lo hizo, pero años más tarde me contó que había tenido que hacer un gran esfuerzo para no reírse.

Hizo un gesto indicando el cartel:

–¿Cuánto haría falta para que dejaras todo esto?

Mi mente funcionó a toda velocidad. Recordé que mi padre me había dicho que el director del Thrifty Drug Store, un amigo suyo, ganaba la inaudita suma de 52.50 dólares a la semana. Decidí ir a por el premio gordo:

–Setenta y cinco dólares a la semana –respondí.

–Los tienes –dijo él y yo casi dejo caer la «G» sobre su cabeza.

–Preséntate ante Dick Mack por la mañana y dile que estás fijo en el equipo como escritor subalterno –y, dicho esto, se puso en marcha. Entonces se detuvo y alzó la mirada.

–Chico, cuando tengas cuarenta años tendrás que elegir entre escribir o el sexo...

Eso sí que me deprimió. Groucho me estaba diciendo cuándo se iba acabar esto y yo ni siquiera había empezado.

Él debió de introducir ese pensamiento en mí. A la edad de cuarenta años, experimenté, durante un breve período de tiempo, eso que todos los hombres temen: la impotencia. Afortunadamente, tuve una maravillosa tercera esposa que me ayudó a recuperarme.

Cuando hablo de mi tercera esposa, la gente suele preguntarme cuántas veces me he casado. En realidad me he casado cinco veces. Recuerdo una ocasión en la que me encontraba en una fiesta con mi cuarta esposa, Joyce. Conocimos a Morrie Keller, el hombre a quien he dictado este libro. Estábamos charlando, cuando Joyce se unió a nosotros.

—¿Quién eres tú? —preguntó Morrie.

—La cuarta esposa de Robert —respondió Joyce.

Morrie me miró, movió las cejas al estilo Groucho y dijo:

—¡Oh!, estás entre divorcios. Fue realmente profético porque Joyce y yo nos separamos aproximadamente un año más tarde.

Recuerdo que por esa época me entrevistaron y que la periodista me preguntó:

—¿Cuál cree usted que ha sido la causa de sus últimos cuatro divorcios?

—Mis últimos cuatro matrimonios —repliqué.

Escribí para Groucho durante un año, hasta que Pabst Blue Ribbon Town fue cancelado. En aquella época, los programas eran valorados por Neilsen. Si tu índice de audiencia era de quince, estabas en la línea límite, pudiendo ser cancelado o renovado por el patrocinador.

Nosotros nos encontrábamos exactamente en esa posición precaria cuando fuimos invitados por el presidente de Pabst Blue Ribbon a Milwaukee para celebrar el centenario de Pabst. La celebración tuvo lugar en una noche memorable, que Groucho hizo aún más memorable haciendo de Groucho. Estábamos todos sentados en la mesa del banquete y Groucho había escondido una botella de Schlitz debajo de su chaqueta. Estaba sentado a la derecha del presidente y, cuando el anciano no miraba, Groucho volvía a llenar la copa vacía del presidente con Schlitz. Entretanto, hizo hablar al anciano dignatario diciéndole que estaba seguro de que él no era capaz de distinguir entre una cerveza y otra. El presidente de Pabst bebió la Schlitz y comentó que sólo la Pabst tenía esa esencia delicada, deliciosa y sabrosa.

Yo rezaba en silencio para que Groucho no revelase este engaño al presidente de la Pabst. Mi plegaria no fue atendida. Cuando Groucho terminó de verter lo que quedaba de la Schlitz en la copa del anciano caballero, le enseñó la botella y dijo:

—He aquí algo que he «schlitzeado» delante del portero.

De más está decir que nuestro programa fue cancelado al final del año.

A Groucho le encantaba interpretar en la vida real el papel que representaba en la pantalla. Le gustaba interactuar con la gente, lo cual significaba, por lo general, insultarla y, siempre, confundirla. Recuerdo un incidente así, que tuvo lugar cuando bajábamos juntos las escaleras después de una conferencia sobre historias. El ascensor estaba estropeado y teníamos doce pisos que bajar, de modo que Groucho decidió aligerar este desastre divirtiéndose un poco hasta el primer piso. Cuando llegamos al décimo piso, vio un cartel en una puerta, que ponía Hamburguesa & Hamburguesa*, Abogados. Esto era demasiado bueno para que Groucho lo dejara pasar. Entró en la oficina, y yo lo seguí.

Sentada detrás del escritorio se encontraba una señora estilo Margaret Dumont. Groucho casi siempre se las arreglaba para encontrar personas que se prestaban a su humor a la perfección.

—Me gustaría ver una hamburguesa —dijo.

La dama alzó la mirada de los papeles que había sobre la mesa de recepción, intentando identificar su rostro. El bigote de Groucho era pintado y, sin éste, la mujer debió sentir que le resultaba familiar, pero no fue capaz de identificarlo en ese momento como el legendario cómico.

—¿A qué Hamburguesa desearía ver? —contestó.

—Siempre me ha parecido que no hay mucha diferencia entre dos hamburguesas —respondió Groucho.

Ella se puso bizca intentando comprender su respuesta. Se aclaró la garganta nerviosamente:

—En realidad, debo saber a qué Hamburguesa desea ver para poder indicarle el camino.

—Muy bien —concedió Groucho— veré la hamburguesa mayor.

Una expresión de tristeza, respeto y bonitos recuerdos atravesó el semblante de la mujer.

---

* *N. del T.*: en el texto original, el nombre es Hamburger & Hamburger. Se ha traducido para que se entienda la broma.

−¡Oh!, lo siento, pero Hamburguesa mayor falleció la semana pasada.

Sin vacilar, Groucho replicó:

−Bueno, soy Groucho Marx. Desentiérrela.

Estoy seguro de que ella habló de ese día durante el resto de su vida.

En otra ocasión, me encontraba de compras con Groucho en Walgreen's Drug Store, una tienda que en aquella época estaba ubicada en Beverly Drive y Little Santa Mónica, en Beverly Hills. Mientras curioseábamos por la tienda, me fijé en una pequeña anciana con una enorme masa de cabello rizado y ensortijado que nos miraba con ojos de miope cada vez que pasábamos por un pasillo. Como solía suceder, Groucho le resultaba familiar, pero no lograba identificarlo. Cuando finalmente llegamos a la caja, ella corrió hasta donde estaba Groucho y dijo:

−¿Sabe? Usted me recuerda a Groucho.

Groucho movió su puro y replicó:

−¿En serio? Usted me recuerda a Harpo.

Cuando salimos de la tienda, le pregunté si la gente no se enfadaba nunca por comentarios como ése. Me respondió que a las personas realmente les gustaba ser insultadas. Esto se demostró años más tarde, cuando hizo las series de radio y de televisión llamadas «Apuesto tu vida». El programa fue un éxito.

Un día, Groucho se encontraba sentado masticando un bocadillo de carne en Nate & Al's, un conocido delicatessen de Beverly Hills, cuando se le acercó un hombre gordo, acompañado de su todavía más inmensa mujer.

El hombre se presentó y dijo:

–Groucho, ¿me haría un favor? Durante toda la vida, mi mujer ha deseado ser insultada por usted. ¿Podría insultarla, por favor?

Groucho miró al hombrecito gordo y luego a su todavía más gorda mujer, volvió a mirar al hombre y dijo:

–Me avergüenzas. Con una mujer así deberías ser capaz de pensar en tus propios insultos.

Qué obra maestra de la comunicación: los insultó a ambos con el mismo chiste.

Mi vida estaba destinada a estar entrelazada con la de Groucho y su familia. Unos veinticinco años después de mi debut en Pabst Blue Ribbon Town, estaba escribiendo comedia con uno de los más grandes escritores humorísticos de todos los tiempos, Alan Lipscott. Él me presentó al hijo de Groucho, Arthur. En aquella época, ni Arthur ni yo teníamos ni idea de que uniríamos fuerzas y nos convertiríamos en compañeros de trabajo, escribiendo juntos durante los siguientes treinta y tres años, siendo autores de cientos de programas de televisión, varias obras de teatro y películas. Entre paréntesis, me gustaría hablaros un poco de Alan Lipscott, quien también fue toda una leyenda.

Yo tenía treinta años y él cincuenta y nueve cuando empezamos a trabajar juntos. Él acababa de casarse por primera vez a los cincuenta y nueve años. Todo el mundo le preguntaba cómo podía adaptarse al matrimonio después de haber vivido solo durante tanto tiempo.

—Es muy sencillo —replicaba Alan— Bernardine me arregló en seis meses.

Alan y yo fuimos compañeros de trabajo durante diez años, durante los cuales él vio cómo me divorciaba dos veces y llevaba una vida caótica que acabó conduciéndome al psiquiatra. Él me dijo que el haberse casado tarde en la vida sólo hacía que se arrepintiera de una cosa… No podía tener un hijo. Luego comentó:

—Ahora que te he conocido a ti, veo que no me he perdido nada.

Alan era extremadamente corto de vista. Solía decir que necesitaba dos gafas, unas para poder encontrar las otras. Por descontado, nunca le permitía conducir, pero un día tuve un problema en la espalda y él tuvo que llevarme al quiropráctico. Fue una experiencia horrorosa. Él conducía apoyado sobre el volante, intentando ver la calle para descubrir los misterios que su limitada visión le revelaba. Nos detuvimos ante una luz roja delante del Schwabs's Drug Store, un sitio frecuentado por jóvenes actores y actrices. Una pelirroja despampanante salió de Schwab's y esperó en la esquina a que el semáforo cambiara. Cuando arrancamos, le dije:

—Alan, te acabas de perder a una pelirroja despampanante.

Él se inclinó sobre el volante y contestó:

—¿Me he perdido verla o atropellarla?

Alan, que quería ser escritor desde que tenía veinte años, empezó como contratante de vodevil. No tenía la más remota idea de cómo se contrataba un espectáculo de vodevil, pero tenía que estar en el negocio como fuera. Alquiló un despacho en el Globe Building, en Filadelfia, donde todos los contratantes de espectáculos tenían sus oficinas. El teléfono, que había acumulado polvo durante las primeras tres semanas, sonó de repente. Alan levantó el auricular y una voz al otro lado, con un marcado acento judío, preguntó:

–¿Hablo con Abe Lipschitz? (Ése era el verdadero nombre de Alan, hasta que lo cambió por Lipscott.)

–Sí –replicó Alan.

–Soy el rabino Davidson. Quiero que contrate un espectáculo para el club de hombres de la sinagoga –explicó la voz al otro lado.

Alan empezó a sudar de emoción, éste era su primer cliente. Le preguntó al rabino cuánto quería gastar y éste respondió:

–Cincuenta dólares.

En aquella época, cincuenta dólares eran como setecientos cincuenta dólares de ahora. Alan le dijo al rabino que no debía preocuparse: el club de hombres tendría un espectáculo como no había visto en su vida.

Como ya he dicho, Alan no tenía ni la más remota idea de cómo contratar un espectáculo, de modo que salió al vestíbulo y vio a una atractiva rubia que venía caminando por el pasillo y que aparentaba mucha experiencia en el mundo del espectáculo. Le comentó que estaba demasiado ocupado y que no podía encargarse de hacer un contrato para el club de hombres de la sinagoga y si le interesaría ocuparse del tema. Ella estuvo encantada. El trato consistía en que ella se llevaría un 10%, él un 20% y el resto se gastaría en pagar a los que actuaran. La hermosa joven no cabía en sí de contenta y le dijo a Alan que no se preocupara de nada.

Al día siguiente, en cuanto Alan entró en su despacho, el teléfono empezó a sonar. Levantó el auricular: era el rabino y estaba furioso.

—¡Lipschitz —rugió— no volveré a hacer negocios con usted; está acabado!

Alan, pasmado, preguntó:

—¿Qué sucede, rabino?

—Le diré lo que sucede —chilló el rabino—. Cuatro chicas se pusieron de pie delante de la Torá y se desnudaron.

—¿Les gustó? —preguntó Alan, impávido.

—No se trata de eso —bramó el rabino.

Alan siempre era extraordinariamente rápido. Recuerdo que, cuando se incendió Bel Air, mi casa simplemente se quemó por completo. Yo me encontraba con Alan en la entrada de su casa, preguntándome qué hacer con mi vida, cuando alguien dio unos fuertes golpes en la puerta. Alan abrió y una mujer, que parecía totalmente angustiada, preguntó si podía usar el teléfono para llamar a su hermana, pues creía que ésta se encontraba en la zona del incendio.

Alan, por supuesto, asintió. Mientras marcaba el número de teléfono, la mujer dijo, moviendo los ojos como una loca:

—Dios está llegando.

Alan, sin inmutarse, replicó:

—Si viene, dígale que traiga una manguera.

Alan siempre había querido escribir una obra de teatro conmigo, pero falleció antes de que pudiéramos realizar el proyecto juntos.

Cuando conocí a Arthur me convertí en coautor de mi primera obra de teatro. Arthur y yo tuvimos un gran éxito en Broadway con *Los Años imposibles*, protagonizada por Alan King.

Alan King era el cómico más joven de la gran época y quería ampliar su carrera estableciéndose como actor. Poseía eso que tienen todos los grandes cómicos: decía las cosas en el momento preciso y tenía un agudo instinto que le indicaba lo que podía resultar mejor. En los ensayos *Los Años Imposibles* resultó ser un poco corta. Le faltaban unos cinco minutos y no sabíamos qué hacer. Alan se acercó a Arthur y a mí y dijo:

—Si me hacéis bajar las escaleras con una resaca, os daré cinco minutos de risas.

Los Años Imposibles fue una comedia sumamente graciosa, especialmente por la actuación de Alan. En los años siguientes, la crítica de *Time Magazine* afirmaba que era uno de los tres espectáculos clásicos y familiares de nuestra generación. Los cinco minutos que añadimos, basándonos en la sugerencia de Alan, hicieron que fuese la obra más comentada en Broadway de esa época.

Alan obtenía sus primeros dos minutos de risas sólo con aparecer en la parte superior de las escaleras con una resaca total. Se aferraba a la barandilla y bajaba palmo a palmo los primeros tres escalones. Llegado ese punto, su hija de once años gritaba a pleno pulmón:

—¡Vaya borrachera!

Una sacudida convulsiva pasaba por el cuerpo de Alan y hacía que estuviera a punto de caer por encima de la barandilla de la escalera. Esto producía uno o dos minutos más de risas.

Alan se enderezaba, miraba a su hija con los ojos entrecerrados y decía:

—Abby, no hables... susurra... mejor aún, limítate a mover la boca y yo leeré tus labios.

Después de *Los Años Imposibles*, la otra obra de más éxito que hicimos Arthur y yo fue sobre Groucho y se tituló *Groucho, repaso de una vida*. En Londres, ganó la nominación del premio Sir Lawrence Olivier a la mejor comedia representada en los escenarios londinenses en 1987 y en Estados Unidos todavía está en cartelera. Fue uno de nuestros mejores trabajos porque logramos capturar una parte de la angustia emocional que experimentaba Groucho, lo que le provocó esa necesidad de encontrar risas a lo largo de su vida.

No volví a ver a Groucho hasta muchos años después de la cancelación del Pabst Blue Ribbon. Nos encontramos en una fiesta. Para entonces, él ya se había casado dos veces, y yo tres. Hablamos de quién era el más desgraciado en el matrimonio y, finalmente, él concedió que era yo.

Nunca olvidaré la última frase que me dirigió. Me dijo:

—Chico, lo que necesitas es un buen divorcio y sentar cabeza.

Amos y Andy

Cuando el programa de Groucho fue cancelado, examiné mi carrera como escritor. Con diecinueve años, estaba acabado. No me quedaba otra alternativa que dirigirme al centro de la ciudad y volver a la empresa de detectives privados en la cual había solicitado empleo unos meses atrás.

Fui entrevistado por el director de la agencia, que se parecía mucho a Carol O'Connor cuando interpretaba a Archie Bunker. Estaba sentado con los pies sobre un viejo escritorio destartalado, con un puro en la boca. Le echó un vistazo a mi solicitud y dijo que yo sería un buen detective en unos grandes almacenes. En aquellos días, se contrataban detectives privados para detectar a la gente que robaba. Me comentó que los ladrones no sospecharían de mí, porque parecía un chico de quince años.

Me explicó que si me quedaba en la agencia el tiempo suficiente, podría cobrar todas las semanas. Echó el humo del puro con elegancia y proclamó que él había llegado a la cumbre: ahora ganaba cincuenta dólares a la semana. Entonces me preguntó cuál había sido mi sueldo en mi último trabajo.

—Ciento cincuenta dólares a la semana —respondí.

Sus pies cayeron al suelo con un estruendo y se puso rígido. Se apoyó sobre su escritorio y preguntó:

—¿A qué te dedicabas, a trabajar o a robar?

—A las dos cosas —repliqué—. Era escritor de comedia para Groucho.Marx.

Me contestó:

—Chico, voy a hacerte un gran favor —rompió mi solicitud en pedazos—.Vuelve a escribir, ahí está tu carrera.

Mientras subía por las escaleras que conducían al apartamento donde vivía con mis padres, me sentí bastante deprimido. En aquel momento no tenía ningún futuro como detective privado ni como escritor. Al entrar en el apartamento, el teléfono sonó. Lo descolgué y una voz al otro lado preguntó:

—¿Hablo con Robert Fisher?

—Sí… —respondí y me sentí un poco confundido, porque la voz me resultaba familiar… familiar y famosa.

La voz continuó:

—Soy Amos.

Me reí. Intenté adivinar cuál de mis amigos era capaz de imitar tan bien la voz de Amos de «Amos y Andy».

De modo que respondí:

—¿Ah, sí? Pues yo soy Andy.

Una voz al otro lado del teléfono, en un tono bajo muy conocido, desmintió:

–Oh, no, no lo ere'. Éste de aquí e' Andy.

Casi dejo caer el teléfono.

Entonces Amos dijo:

–Acabamos de leer tu historia para nuestro programa y nos gusta.

Se me había olvidado que, ante la insistencia de mi madre, había enviado una historia para su programa de radio de media hora de duración. Me pidieron que me reuniera con ellos para discutir la posibilidad de que escribiera para ellos.

Colgué el teléfono, aturdido. Había pasado de una entrevista de trabajo con una agencia de detectives privados a una entrevista de trabajo con dos de los más famosos cómicos de la radio de la época.

Al día siguiente, me hicieron pasar a su elegante oficina que se encontraba encima del tercer piso del edificio del Bank of America en Beverly Hills. Sentados al otro lado de un hermoso escritorio antiguo, se encontraban Freeman Gosden, que interpretaba a Amos, y Charlie Correll, que hacía de Andy. Parecían más unos ejecutivos de la banca que unos cómicos famosos. Me examinaron cuando entré y yo me quedé inmóvil, mientras ellos me observaban y yo a ellos.

–No esperábamos que fueras tan joven –dijo Gosden.

–No se preocupe, yo no esperaba que ustedes fuesen blancos –repliqué.

Ellos rieron, me invitaron a sentarme y me preguntaron si me sentía capaz de escribir más historias como la que les había enviado.

Mi estómago se revolvió: no tenía la menor idea de si todavía quedaba alguna otra historia en mi interior. Ellos no utilizaban guiones simples como Groucho Marx. Sus historias estaban completamente trabajadas y tenían un principio, una parte central y un final con una frase clave.

Calmé mi estómago y contesté:

—Estoy lleno de historias.

Gosden sonrió y respondió:

—Te vamos a contratar.

—Sí —dijo Charlie—, vamos a averiguar si estás lleno de historias o de alguna otra cosa.

Escribí para ellos durante los cinco años siguientes.

Nuestro equipo de escritores variaba de cinco a nueve miembros. Durante la época en que trabajé en el programa, tuve la oportunidad de trabajar con algunos de los mejores escritores de comedia que había en el negocio. Entre ellos se encontraba John Medberry. Él, al igual que mi compañero de trabajo, Alan Lipscott, era el gran «papá» de las comedias de la radio. Vale la pena que dedique unos momentos a hablar de la vida personal de John, que era tan cómica como los guiones que escribía.

Un día John decidió que iba a ponerle los cuernos a su mujer. Era algo que nunca antes había hecho y sentía que, antes de abandonar este planeta, debía experimentarlo todo. De modo que eligió a una jovencita que iba caminando por el Hollywood Boulevard y, unos instantes después, los dos se encontraban en un hotel y unos minutos después de eso, se encontraban en la cama. John nos contó que, en medio del clímax, ella dijo de repente:

–¡Bésame, bésame!

–¿Besarte? –replicó John–. ¡Ni siquiera debería estar haciendo esto!

Recuerdo el día en que fui con John al departamento de transportes para que pudiera obtener su permiso de conducir. La oficinista que había detrás de la ventanilla le preguntó su nombre. John, que tenía una cara muy graciosa, y rara vez sonreía, respondió:

–John P. Medberry.

–¿Qué representa la 'P'? –preguntó la mujer.

John, sin cambiar la expresión de su rostro, contestó:

–Parecería bastante tonto que estuviera acostada.*

Aprendí muchísimo escribiendo con John y tuve el privilegio de ser coautor con él de algunos clásicos de Amos y Andy. Recuerdo uno de esos programas que trataba del día en que el Reypez encontraba unas gafas en la oficina de objetos perdidos de los Caballeros Místicos de la Logia del Mar y se ponía a pensar en el modo de convertir las gafas en dinero. Se enteró de que Andy había conseguido cincuenta dólares y cuando éste entró por la puerta, Reypez se dio cuenta de que podía utilizar las gafas para quitarle a Andy sus cincuenta dólares.

REYPEZ: Oh, hola hermano Andy, llegas justo a tiempo para celebrar.

ANDY: ¿Celebrar qué?, Reypez.

* *N. del T.*: Juego de palabras. En inglés, para decir «¿Qué representa la 'P'?» se dice «What does the 'P' stand for?», que también podría leerse como «¿Para qué está de pie la 'P'?».

REYPEZ: Acabo de graduarme de un curso universitario a distancia de cuatro años.

Soy especialista en arreglar gafas. Soy un «optimista» reconocido.

ANDY: ¿Eres realmente un experto en ojos?

REYPEZ: Oh, sí. Déjame que te mire. Te haré un examen gratuito. Ajá.

ANDY: ¿Ajá, qué?

REYPEZ: He podido ver, mirando dentro de tu ojo izquierdo, que tienes un cadillac.

ANDY: ¿Eso es malo?

REYPEZ: Oh, sí. Eso está deteriorando tu visión.

ANDY: Yo veo tan bien como tú.

REYPEZ: Bueno, vamos a comprobar eso… Acércate a la ventana.

ANDY: Muy bien.

REYPEZ: Ahora, al mirar por la ventana, puedo ver, con mi visión normal, una hormiga que está trepando por el poste de teléfono que hay al otro lado de la calle.

ANDY: (perplejo) ¿Puedes ver a una hormiga?

REYPEZ: Sí, con mi visión normal, además veo que lleva una miga de pan en la boca… de pan... integral.

No hace falta decir que Reypez le vendió las gafas a Andy para que éste pudiera tener una visión normal como la suya.

Este tipo de chistes, por supuesto, hacía que Amos y Andy fuesen el objetivo de la ira de la NAACP. A título personal, yo a la edad de veinte años no tenía ninguna conciencia social y tampoco tenía ningún sentimiento racista contra los negros, y me quedé muy sorprendido cuando llegaron las cartas de la NAACP informándonos que estábamos degradando a la raza negra. Yo era judío y escribía chistes sobre judíos. Siempre he sentido que si las personas pudieran aligerarse y reírse de sí mismas, la risa las ayudaría a acercar las razas, en lugar de separarlas.

Resultó que tenía razón, porque unos treinta años más tarde, los cómicos negros empezaron a hacer bromas sobre su propia raza, así como sobre los blancos y esto relajó un poco la tensión.

Hay ciertos chistes que sólo son graciosos si son étnicos. Citaré un caso. Estaba contándole un chiste a un grupo de personas, una mezcla de gentiles, judíos y negros. Empecé:

—Dos tipos judíos bajan caminando por la calle…

Un rabino, que estaba en el grupo, me interrumpió:

—¿Por qué siempre tiene que haber dos judíos que bajan caminando por la calle? ¿No se puede contar esta historia de otro modo?

—Muy bien, rabino —repliqué—. Dos chinos bajan caminando por la calle y se dirigen a un bar mitzvah… —Evidentemente, el chiste no funcionaba con dos chinos.

El que mejor señaló el absurdo de la segregación fue Groucho en una historia muy conocida sobre él. Él quería hacerse socio de un club de natación. Todo iba muy bien hasta que puso en la solicitud que era judío. El director del club se disculpó con efusión, y le dijo a Groucho que no podía ser admitido en el club de natación porque ellos no admitían judíos.

Groucho respondió con rapidez:

–Mis hijos son sólo medio judíos, ¿podrían ellos nadar en la piscina con el agua hasta la cintura?

Amos y Andy funcionaban de un modo completamente diferente al de otros cómicos. Se comportaban, como he señalado antes, como dos ejecutivos de la banca y, a diferencia de otros cómicos, no leían su propio material una vez estaba escrito. Nuestro escritor jefe, Bob Ross, que era capaz de imitar las voces de todos los personajes, les leía el guión. Ellos escuchaban, se reían del material y hacían sugerencias sobre cómo se podía mejorar.

Con el paso del tiempo, aprendí a imitar a todos los personajes de Amos y Andy y, cuando Bob Ross no estaba presente, yo les leía el guión. Me volví especialmente hábil imitando a Andy. Apenas se podía distinguir la voz de Charlie Correll de la mía. El momento culminante de mi joven vida llegó la semana en que Charlie Correll enfermó y yo interpreté a Andy delante del público del preestreno. Se podían oír los murmullos del público expresando su asombro ante el hecho de que Andy fuese tan joven. Yo aparentaba unos diecisiete años.

Otro momento culminante de mi vida en Amos y Andy fue cuando Red Skelton fue nuestro invitado y me encargaron a mí que escribiera su parte. Conocí a Edna Skelton, que en aquella época era su esposa y su agente. Ella me dio las pautas sobre lo que Red haría o no haría. Uno de los personajes que a Red le gustaba interpretar era el de Clem Kadiddlehopper. Clem era una exageración de un chico tonto de granja. Uno de los chistes era que Andy le preguntaba a Clem si le gustaría ir a la ciudad porque él le presentaría a una chica simpática. Clem contestaba:

—No puedo hacer eso. Le prometí a mi madre que no saldría con chicas hasta los veintiún años.

—¿Y qué edad tienes? —le preguntó Andy.

—Ella no me lo quiere decir —replicó Clem.

Otra estrella invitada que conocí mientras escribía para Amos y Andy fue George Jessel. George era conocido como el maestro de ceremonias de América y era probablemente el mejor narrador que había entre todos los cómicos. Era también un fumador compulsivo de puros, cuyo humo envenenaba el aire durante las reuniones sobre historias que teníamos Charlie, Gos, Bob Ross y yo. Una tarde, mientras Gos estaba ahí sentado, ahogándose, le preguntó a Jessel si no había considerado la posibilidad de pasarse a los cigarrillos, que tenían la ventaja de que lo matarían más lentamente. Esto hizo que Jessel contara una historia sobre el poder de un puro.

Parece ser que Jake Shapiro tenía un nuevo socio, Abe, en su negocio de metraje y había decidido enseñarle cómo vender los rollos de tela. Hizo que Abe lo acompañase hasta la oficina de un buen comprador y, durante la hora siguiente, Jake demostró sus dotes oratorias describiendo la cualidad de los tejidos, la variedad de colores, la rápida entrega del material, etc. Jake miraba de vez en cuando a Abe para que éste dijera algo, pero Abe se limitaba a permanecer ahí sentado, fumando su gran puro. Una hora más tarde, la venta estaba hecha, y Jake y Abe abandonaron la oficina. Jake le dijo a Abe:

—Durante una hora he estado hablando sin parar y tú no has dicho ni una sola palabra. Te has limitado a permanecer ahí, fumando ese estúpido puro. Vaya socio estás hecho, he tenido que convencerlo yo solo para que firmara.

Abe sonrió y respondió:

—Sí, pero, ¿quién consiguió que se mareara?

Yo nunca fumaba, aunque cuando estaba con Gos y con Charlie daba alguna calada. Gos comentó que era una buena idea:

—Fumar pipa calmaría el estado nervioso en que te encontrarías si fumaras pipa.

Groucho y George Burns eran los otros dos cómicos que fumaban puro. Básicamente, Jessel, Burns y Groucho utilizaban el puro para poner énfasis en sus chistes en el momento preciso. Hacer entrar y salir los puros de sus bocas exactamente en ese momento hacía que las risas aumentaran.

Un chiste muy famoso salió de la boca de Groucho inspirado por su puro. Una noche, cuando hacía de anfitrión en su famoso programa, *Apueste su vida*, le preguntó a una concursante cuántos hijos tenían ella y su marido.

—Diez —respondió ella.

Groucho comentó que ella y su marido tenían un hobby bastante repetitivo.

La señora replicó:

—Todo el mundo tiene alguna cosa que le gusta mucho. Usted, por ejemplo, siempre tiene ese puro en la boca.

–Sí, pero yo lo saco fuera de vez en cuando –respondió Groucho.

Los programas que escribíamos para Amos y Andy eran siempre muy apretados. Esto quiere decir que estaban programados para no excederse más de tres minutos por encima de los veintisiete minutos y cuarenta segundos de tiempo en el aire. Después de interpretar el programa para un público de prueba, eliminábamos el material que no había hecho reír a la gente. Normalmente, todos los chistes funcionaban, de modo que para cortar tres minutos hacían falta hasta dos horas de discusión entre Gos, Charlie y los escritores. Si hubiesen permitido que nosotros, los escritores, nos las arreglásemos solos, hubiésemos tardado aproximadamente cinco minutos en recortar el programa, pero Gos y Charlie eran perfeccionistas. Reducían una línea aquí y ahí, o eliminaban dos o tres palabras en varios diálogos, de modo que el proceso era laborioso.

En una noche así, después de dos horas y media intentando recortar tres minutos, tuve, inesperadamente, mi primer contacto con Bob Hope.

Él estaba en el estudio que se encontraba al lado del nuestro, en la NBC, haciendo su emisión de prueba. Hope probablemente metía más chistes en un programa que cualquier otro cómico de entonces o de ahora. Su programa de prueba siempre duraba una hora.

La puerta de nuestro estudio se abrió de repente y Hope hizo su entrada con su séquito. Tenía unos quince escritores, un productor, un director, su agente, un mánager y varias personas más a quienes no pude identificar. Me sentí completamente aplastado por su gran dinamismo. Hope, en su juventud, tenía la mayor energía que he visto en ningún otro ser humano. Su fuerza era tan enorme, que me sentí aplastado contra mi silla. Tenía unos ojos penetrantes que no se perdían nada. Muy pocas personas se atrevían a mirar a Hope a los ojos y enfrentarse a él.

Saludó a Gos y a Charlie e hicieron planes para reunirse ese fin de semana. Hope hablaba mientras golpeaba un guión que llevaba en la mano derecha contra la palma de su mano izquierda.

Gos señaló en dirección al guión y dijo:

—¿Es ése tu guión o es la mitad del listín telefónico?

—Es simplemente de la longitud normal. Ahora tenemos que ir a recortar una media hora —replicó Bob.

Charlie, incrédulo, preguntó:

—¿Vas a eliminar media hora?

Hope respondió que lo hacían cada semana. Entonces él y su grupo se marcharon. Gos y Charlie se quedaron mirándose durante un momento, luego Gos dijo:

—Acabemos con esta pequeña mierdecita y larguémonos de aquí.

Siempre le estuve agradecido a Bob por su aparición. De no ser por él, nos habríamos pasado ahí el resto de la noche.

Al mirar atrás y revisar mi carrera, el trabajo más difícil que tuve como escritor fue con Amos y Andy. Los guiones se escribían de una semana a otra, a diferencia de los programas de televisión, en los cuales tienen un montón de guiones tres meses antes de la fecha de emisión. Nosotros, a menudo, escribíamos durante el ensayo del programa, momentos antes de la hora de emisión.

Nuestro horario de trabajo empezaba a las diez de la mañana y se prolongaba hasta las primeras horas de la mañana siguiente, a veces siete días a la semana. Yo tuve la suerte de ser el más joven porque el programa me hizo envejecer. Cuando nos sentíamos fatigados, a eso de las dos de la mañana, empezábamos a improvisar material para que nuestra risa nos ayudara a mantener la energía. Amos y Andy eran los únicos cómicos que utilizaban despropósitos lingüísticos. Andy, por ejemplo, podía entrar en la habitación y decir «Perdón por la introducción», o Henry Van Porter, que actuaba en High Society, describía a las masas como «las masivas». Otros despropósitos eran «los sentimientos eran paramutuos», «sus actos eran abdominables» y a los ejecutivos de las grandes películas los llamaban «cinerastas». Andy siempre se refería a sí mismo como un «soltero legible».

En una de nuestras mañanas de trabajo, a eso de las dos, a nuestro escritor jefe, Bob Ross, se le ocurrió uno de los mejores despropósitos lingüísticos que he oído jamás. Reypez le estaba explicando a Andy, con su acostumbrada pretensión de gran sabiduría, que ahora había un nuevo modo de hacer bebés. Los hombres y las mujeres ya no tenían que tener relaciones sexuales, ya que a la mujer se le podía inyectar el esperma del hombre. Andy preguntó cómo se llamaba eso y Reypez respondió:

—Antisemitismo artificial.

Claro que joyas como ésta nunca salían al aire, ya que la censura en aquellos días era muy estricta. Hablaré más acerca de la censura en mi capítulo sobre Bob Hope.

Los despropósitos lingüísticos los empezó a usar Sheridan para un personaje, Doña Desporpósito, y luego fueron revividos por Amos y Andy. Después se convirtieron en cosa del pasado, hasta que Archie Bunker los utilizó en *All in the family*. Los despropósitos lingüísticos son una forma de divertida comedia que actualmente casi no se utiliza.

Recuerdo otro suceso a primera hora de la mañana con Amos y Andy. Los cinco escritores contemplábamos la calle Beverly Drive por la ventana, agotados. Mientras observábamos las tiendas que había a lo largo de la calle, empezamos a especular sobre el hecho de que nos hubiese gustado tener otro negocio, un negocio en el cual pudiésemos cerrar a las seis de la tarde, como lo hacían en Beverly Drive, irnos a casa y pasar la noche con nuestras esposas, o mejor aún, con la esposa de alguna otra persona. Miramos las tiendas que había abajo: una tienda de animales domésticos, un par de tiendas de ropa, la joyería Haimoff, una farmacia, una carnicería, etc. Todos estuvimos de acuerdo en que lo que más nos gustaría sería ser Haimoff, el joyero. Él no sólo se podía ir a casa a la noche, sino que además era rico. Después de haber tomado esa decisión, vimos el periódico de la mañana y nos enteramos de que habían asaltado a Haimoff. Esto hizo que nos volviera a gustar escribir para Amos y Andy.

Mis años con Amos y Andy fueron una época muy especial en mi vida. Ellos eran los reyes de la radio. Freeman Gosden me contó que, en sus inicios, en los años veinte, las tiendas que vendían radios, fonógrafos, tabaco, y las farmacias, todas tenían altavoces delante de sus locales para que, a las siete en punto de la tarde, uno pudiera ir caminando por la calle sin perderse ni una línea de Amos y Andy. Gosden nos dijo que sus primeras emisiones se hacían desde un edificio de veintiséis pisos que alojaba un periódico de Chicago.

Él y Charlie solían sentarse en la tienda de abajo para tomar café y revisar el guión. Tenían sus movimientos calculados, de modo que cuando Will Hayes salía en el anuncio de Pepsodent, ellos se marchaban de la tienda, se dirigían al ascensor, llegaban hasta su estudio en la parte superior del edificio, entraban y se sentaban en la mesa, uno frente al otro, justo cuando Will Hays decía:

–¡Y aquí están! ¡Amos y Andy!

Una noche, cuando llevaban a cabo este procedimiento, se sentaron y los dos alargaron la mano para que el otro les entregase el guión. Se dieron cuenta, horrorizados, de que lo habían dejado abajo, en el mostrador de la tienda.

Charlie Correll dijo que Freeman Gosden había hecho el mejor trabajo de improvisación de quince minutos que había visto en toda su vida.

Sí, esos dos caballeros eran una leyenda.

En una ocasión Groucho hizo un chiste en el que decía que Marconi estaba experimentando con tubos y cables, oyó a Amos y Andy, y a eso lo llamó radio.

Fanny Brice

Tenía veinticinco años y aparentaba unos diecisiete cuando mi agente, Phil Weldman, me llevó ante la presencia de Fanny Brice. Estaba sentada en una silla tapizada de respaldo alto en la enorme sala de una aún más enorme casa. El vestido que llevaba puesto parecía tan caro como la tapicería de la silla en la que estaba sentada, además armonizaban. El pasatiempo de Fanny era la decoración de interiores y todos los colores estaban coordinados. Supuse que tendría unos sesenta años.

Ella no se puso de pie para recibirnos, sino que nos indicó que nos sentásemos en las dos sillas que había delante de ella. Dijo:

—A mi edad ya no me pongo de pie ni para saludar.

Fanny había decidido regresar a la radio después de haber estado retirada durante varios años. Tenía que interpretar un popular personaje que había creado, Baby Snooks. Snooks era una niña de nueve años, traviesa, precoz, sin pelos en la lengua y sus adversarios eran su madre y su padre, interpretados por Hanley Stafford y Arlene Harris. Era toda un acontecimiento para el público asistente ver a Fanny interpretar a la hija de dos personas que eran unos quince años más jóvenes que ella.

Fanny me examinó durante un momento con su mirada perspicaz e inteligente y preguntó:

–¿Crees que podrías escribir para una niña pequeña?

–Señorita Brice –repliqué–, no hace mucho tiempo, yo también era un niño pequeño.

Una risa resonante surgió de una silla giratoria de respaldo alto que nos había dado la espalda. La silla giró y nos dimos cuenta de que la risa era de Sophie Tucker, quien llenaba toda la silla, ya que no llevaba puesta su faja.

–Contrata a este chico, Fanny, ¡está lleno de coña! –vociferó Sophie.

Fanny sonrió y sentenció:

–Estás contratado.

Los dos años posteriores que pasé con Fanny tuvieron un gran impacto en mi vida. Yo era más que un escritor para ella: se convirtió en mi segunda madre judía.

Normalmente, es difícil para un hombre sobrevivir a una madre judía, pero yo tuve suerte: mi primera madre judía me proporcionó muchísima autoestima y Fanny la reforzó.

Ella amaba la comedia que escribía para ella, pero no podía soportar mi forma de vestir. Los zapatos de gamuza para hombres acababan de aparecer en algunas de las zapaterías más vanguardistas, y yo me había comprado un par de zapatos azules de gamuza. Los usaba con mis pantalones azules de poliéster y con una chaqueta verde de tweed.

Un día Fanny clavó la mirada en mis zapatos y dijo:

—Si esos zapatos fuesen marrones, diría que estás encima de dos montones de mierda.

Me llevó presurosa a una zapatería de Beverly Hills, donde me compré un par de zapatos por veinticinco dólares, la suma más elevada que jamás había pagado para vestir mis pies.

Luego Fanny me llevó a un sastre y, a partir de entonces, me hacía los trajes a medida. Ella elegía la tela y se aseguraba de que me quedaran a la perfección. Además, me hizo cambiar mi coche American Austin por un Cadillac descapotable, último modelo, que en aquella época costaba cinco mil dólares.

Los trajes a la moda y el caddy convertible atrajeron a mi vida una bandada de bellezas de Hollywood. Yo era muy inocente con las mujeres y no sabía distinguir si lo que les gustaba era yo o mi prosperidad. En cierto modo, sentía que, con mi American Austin, mis pantalones de poliéster, la chaqueta verde de tweed y los zapatos azules de gamuza, tenía que gustarle de verdad a una chica para que saliera conmigo. Cuando le comenté esto a Fanny, ella señaló que esa combinación era una prueba demasiado dura para cualquier chica.

Dado que no había conseguido ninguna novia con esa nauseabunda combinación, tuve que reconocer que ella tenía razón.

Fanny, sin embargo, no me lanzó a los carcayús inmediatamente. Ella conocía a las chicas con las que yo salía y descartaba a aquellas bellezas que tenían una intención incierta. Ella jamás fallaba en sus juicios de carácter, excepto con los hombres que pasaron por su propia vida.

Cuando conocí mejor a Fanny, me contó algunas historias sobre sí misma y sobre el principal hombre en su juventud, Nicky Arnstein.

Fanny solía celebrar reuniones sociales en su apartamento a altas horas de la madrugada y varias celebridades que se encontraban en la ciudad, o que simplemente buscaban trabajo en los estudios, se reunían con ella ahí, donde solía tener una enorme mesa repleta de deliciosos manjares. La mayoría de las personalidades de Hollywood adoraba a Fanny y acudía a entretenerla. Recuerdo a José Ferrer tocando el piano y cantando para ella.

En una de esas ocasiones, me quedé después de que todos los invitados se hubieron marchado. Fanny se sentía nostálgica y me confesó por qué había decidido iniciar una relación con Nicky. Este incidente en particular fue mostrado en una película en la que Barbara Streisand la interpretaba. Fanny me dijo que su madre no quería que ella saliera con Nicky, ya que él era un gángster conocido, y que todos sus amigos le aconsejaron que se mantuviera lejos de él. Pero ella estaba fascinada por aquel hombre y se dejó convencer para ir a su apartamento. Ella no tenía la menor intención de meterse en la cama con él, hasta que fue al lavabo y vio quince cepillos de dientes alineados.

–Pensé que un hombre tan higiénico no podía ser tan malo –me comentó ella.

–Ya que me has contado por qué iniciaste la relación –dije yo–, ¿te importaría decirme qué fue lo que hizo que le pusieras fin?

Ella se recostó sobre sus cojines y se quedó mirando al techo, pensativa, durante un momento; luego se volvió hacia mí.

–Chico, sucedió un domingo en que Nicky y yo decidimos pasar la tarde juntos en nuestro yate. Le pedí que fuera al muelle y que le dijera al capitán que tuviese el yate listo para él, mi madre y yo. Tenía que regresar a buscarnos a las doce del mediodía. Llegaron las doce del mediodía, pero Nicky no llegó. Pasó la una, las dos, las tres y, finalmente, hacia las cinco de la tarde, supe que Nicky se había ligado a una chica. No llegó a casa hasta muy tarde por la noche, y yo le dije:

–Nicky, fuiste hasta el muelle y dijiste que estarías de vuelta a las doce en punto, ¿qué pasó?

Él se quitó el abrigo, se encogió de hombros y dijo:

–Se me pinchó un neumático –luego entró en el baño y se lavó los dientes.

Me quedé mirando a Fanny, fascinado.

–¿Y eso fue lo que te hizo romper con él?

Fanny asintió con la cabeza.

–Decidí que si ni siquiera me merecía una buena mentira, se había terminado.

La reaparición de Fanny en la radio como Baby Snooks tuvo muchísima publicidad. Nuestro patrocinador, Tums, contrató al mejor locutor de esa época, Don

Wilson, quien se había hecho famoso anunciando a Jack Benny durante diez años. En Tums probablemente pensaron que, dado que la voz de Don sería la primera voz que se oyera al empezar el programa, la gente pensaría que se trataba de Jack Benny y permanecería sintonizada el tiempo suficiente, quedándose durante los dos anuncios siguientes. Don obtuvo casi tanta publicidad como Fanny, ya que ésta era la primera vez que anunciaba un programa que no fuera el de Jack Benny.

Nunca olvidaré nuestra emisión de apertura de la temporada. El estudio de la NBC estaba repleto de personas que habían esperado horas y horas para entrar. En la sala de control se encontraban los grandes ejecutivos de publicidad y un par de vicepresidentes de Tums. Don estaba de pie junto al micrófono, con su guión en la mano. Carmen Caballero estaba serena, con la batuta preparada. Su orquesta estaba lista para tocar el tema musical en cuanto Don anunciara el *Baby Snooks Show*.

Nuestro director, Artie Stander, quien también escribía el programa conmigo, empezó la cuenta atrás para Don. Era 10… 9… 8… 7…6.. 5…4…3…2… y cuando llegó al cero, Artie le hizo una señal a Don, quien había estado esperando nerviosamente, y Don dijo:

– ¡El Baby Shooks Snow!

Don se quedó completamente paralizado, no podía creer lo que acababa de decir. El público se rió a gritos y la orquesta estalló en una carcajada, de modo que la única música que sonó fue el piano de Carmen, un violinista y una desafinada sección de viento porque la orquesta estaba riéndose y soplando sus instrumentos al mismo tiempo.

Realmente disfruté escribiendo para Snooks. Era fácil escribir programas en los que Snooks exasperaba a su Papi, Hanley Stafford, y su interacción hacía que los chistes realmente funcionaran. Sin embargo, no todos los chistes consistían en hacer que papi se enfadase. Algunos de ellos eran cómicamente agudos. Por ejemplo, un día, Snooks llegaba del colegio llorando y papi le decía:

—¿Qué sucede, Snooks?

—Los niños de la escuela dicen que soy fea... soy fea —gimoteaba Snooks.

—No eres fea, Snooks —replicaba papi para consolarla.

—Los niños dijeron que me parecía al presidente —decía Snooks.

Papi, intentando animarla, le decía:

—Eso podría ser un cumplido.

—El presidente era Abraham Lincoln —se quejaba Snooks.

—Snooks, hay muchos tipos de belleza diferentes, —decía papi— un tipo de belleza es el que tienen las glamorosas estrellas cinematográficas. También está la belleza del espíritu... y otros tipos de belleza.

—¿De qué tipo es la mía? —preguntaba Snooks.

Papi dudaba un momento, luego replicaba:

—Belleza fea.

El programa se hizo muy popular y consiguió los suficientes índices de audiencia para ser renovado por un año más. Al final de la segunda temporada, el programa fue cancelado, no por nuestro patrocinador, sino por un poder superior... Fanny murió.

Fue muy repentino y una conmoción para todos nosotros.

Yo adoraba a Fanny y sufrí una gran pérdida personal. Su muerte fue también el fin de una época. La televisión estaba empezando a aparecer y ya no hubo más programas cómicos buenos en la radio. Jack Benny, Burns & Allen, Red Skelton y otros pocos ya se habían trasladado a la pequeña pantalla.

Mientras escuchaba el elogio de George Jessel en el funeral de Fanny, mi mente hizo una extraña jugada... empecé a oír otras palabras. Hanley Stafford estaba describiendo los diferentes tipos de belleza y oí la vocecita de Snooks que decía:

—¿De qué tipo es la mía? —y oí a mi voz contestar:

—Belleza perenne, Fanny, perenne.

Jack Benny & Georges Burns

Estoy incluyendo a estos dos grandes cómicos en el mismo capítulo porque fueron tan buenos amigos y sus vidas estuvieron tan unidas, que mis aventuras con ellos también estuvieron entrelazadas.

Cuando conocí a Jack, él estaba sentado en su despacho, tocando el violín. Aunque no era un gran violinista, era mucho mejor que la ilusión que daba a su público de la radio. Cuando entré, levantó la mirada, sonrió con dulzura y acabó de tocar The Flight of the Bumble Bee; luego se puso las gafas y me examinó.

—No sabía que llevara gafas —dije.

—Sólo para ver —contestó él.

Reí ante esta inesperada respuesta. Jack, según se comentaba, no era tan rápido como la mayoría de los grandes improvisadores como Groucho, Milton Berle y George Burns. Normalmente, Jack solía ser un espectador apreciativo para los cómicos que se lucían en su mesa cenando en el Hillcrest Country Club. Ahí, los grandes cómicos se sentaban en torno a la mesa intercambiando chistes e historias. A un patrocinador le hubiese costado unos veinte millones de dólares tenerlos a todos a la vez.

Arthur Marx y yo incluimos una de las historias sobre los cómicos de Hillcrest en nuestra obra, *Groucho, repaso de una vida*. Todos los cómicos estaban sentados mientras discutían qué se sentía en la edad madura. Groucho declaró que la edad madura era despertar cada mañana esperando sentirte mejor, a lo cual Arthur y yo añadimos en nuestra obra:

—La vejez es, simplemente, esperar despertarte por la mañana.

Uno de los cómicos le preguntó a Bob Benchly cómo se sentía ahora que había llegado a la madurez. Bob replicó:

—Bien, a no ser por algún infarto de vez en cuando.

Probablemente, el chiste más conocido que salió de esta fiesta de la comedia en Hillcrest fue la carta que Groucho envió al club cuando fue invitado a hacerse miembro: «Yo no deseo ser miembro de ningún club que esté dispuesto a admitirme como miembro».

Jack, como ya dije, no era el mejor haciendo réplicas chistosas, pero era, ciertamente, el más apreciativo del público y el que más reía.

Era por todos conocido que George Burns, especialmente, siempre conseguía que Jack estallara en carcajadas. Una noche, en una fiesta, y por alguna razón, Jack negó que George siempre pudiera hacerle reír. Eran aproximadamente las once de la noche y George señaló hacia el viejo reloj que había sobre el mantel y dijo:

—Apuesto que, antes de que den las doce, te habré hecho reír.

Jack le tomó la palabra y puso su dinero junto al de George. Al poco rato, todos los asistentes a la fiesta hacían apuestas sobre si George podría hacer reír a Jack antes de las doce en punto. La balanza estaba fuertemente inclinada a favor de George.

Durante la siguiente hora, Jack miró cuidadosamente a George, manteniendo su cara seria. George ni siquiera le dirigió la palabra a Jack durante ese rato. A las doce menos cinco, todo el mundo se estaba preguntando qué le diría George a Jack. Jack, en aquel momento, estaba sentado en un sofá, su cuerpo rígido y la mandíbula cerrada en una posición de no-risa.

Faltaba un minuto para las doce. George se inclinó de una forma informal sobre el mantel, miró el reloj y observó cómo avanzaba el segundero. Cincuenta segundos, cuarenta segundos, treinta segundos, quince segundos, diez segundos. Cuando la manecilla llegó a los cinco segundos, George se volvió hacia Jack y dijo:

—Jack, sólo te quedan cinco segundos para reír.

Jack se rió con tanta fuerza, que se cayó del sofá.

Llegué a escribir para Jack Benny por una serie de circunstancias que sólo el universo podía haber diseñado. Estaba atravesando un momento crítico en mi vida: a nivel mental, emocional, espiritual y económico. Acababa de ser coautor y coproductor de una obra en Broadway con mi querido amigo Arthur Allsburg. El público de la primera noche y el de la última noche fue el mismo. Era mi primer fracaso en los veinte años que llevaba escribiendo y el efecto fue devastador. Afortunadamente, en ese momento tenía una relación con una mujer muy querida, Anne Stone. Ella empezó a enseñarme que el fracaso era una oportunidad para crecer. Me dijo que, en el estado vulnerable en el que me encontraba, tenía más posibilidades de averiguar quién era en realidad. Una gran parte de lo que ella me enseñó en aquella época me llevó a escribir *El caballero de la armadura oxidada*. Una de las principales cosas que Anne intentó hacer fue alejarme del teléfono. Se esforzó por convencerme de que todas las respuestas que estaba intentando recibir a través del teléfono llegarían a mí si yo estaba suficientemente tranquilo.

Cuando regresamos de Nueva York después de la obra, yo tenía unos cien dólares en el bolsillo y una tarjeta Carte Blanche. Por fortuna, había pagado por adelantado dos meses de alquiler de nuestro apartamento. En cuanto entré en él, me fui directamente hacia el teléfono. Levanté el auricular y empecé a marcar. Anne, con los ojos encendidos y las manos sobre sus muy bien desarrolladas caderas, dijo:

–¿A quién diablos estás llamando?

Respondí que tenía que comunicarle a mi agente que ya estaba de regreso en Los Ángeles, que quería hablar con unos cuantos escritores y ver qué trabajos había disponibles y llamar a algunos productores para hacerles saber que ahora estaba libre.

Anne respondió tranquilamente:

–Dios sabe que estás en la ciudad.

Alcé la mirada. Sus ojos reflejaban la azul verdad del cielo. Colgué lentamente el teléfono y recuerdo que, con la voz de un niño pequeño, pregunté:

–Entonces, ¿qué debería hacer ahora?

Anne replicó alegremente:

–Iremos a la playa.

Y eso fue lo que hicimos durante los siguientes treinta días. Yo me tumbaba sobre la arena con Anne y, mientras el cálido sol nos bañaba, ella empezó a enseñarme a descubrirme a mí mismo. Durante esta época, apenas tenía dinero para gasolina. No podía permitirme gastar dinero ni en los restaurantes más baratos, de modo que teníamos que cenar bien con mi tarjeta de crédito.

Al final del mes, sólo había unos diez dólares entre yo y la nada. En ese momento, llamaron a la puerta.

En aquel instante, el hecho de que llamaran a la puerta del apartamento significaba, o bien que el dueño venía a cobrar el alquiler, o que alguien se había perdido. Ninguno de mis amigos sabía que estaba de regreso en la ciudad y el edificio era tal laberinto, que nadie podía encontrar mi número a menos que estuviese buscándolo específicamente. Abrí la puerta y, ahí, en el umbral, se encontraba un famoso director de televisión. Era un buen amigo y un hombre maravilloso: Norman Abbot.

Norman exclamó:

–He estado intentando ponerme en contacto contigo desde hace más de un mes. Finalmente me dieron esta dirección. Quiero que escribas en el nuevo Especial de Jack Benny que estoy dirigiendo.

Miré a Anne, quien me devolvió una serena sonrisa. Quizá Dios sí supiera que yo estaba en la ciudad.

Acepté la oferta y cuando Norman me explicó que contrataría a otros escritores, le sugerí que se pusiera en contacto con mi compañero de trabajo, Arthur Marx. Si nos tenía a nosotros, probablemente sólo necesitaría a uno más para completar el equipo. Él estuvo de acuerdo y Arthur y yo tuvimos una gran participación escribiendo un programa especial de Jack Benny, que más adelante fue nominado para un premio en el Festival de Cannes de Cine y Televisión.

Trabajar para Jack era un placer. Era uno de los seres humanos más adorables y dulces que jamás he conocido. A diferencia de la mayoría de los cómicos de aquella época, él verdaderamente respetaba y quería a sus escritores. Fue el primero en dar crédito a sus escritores de radio y televisión. La mayoría de los cómicos dejaba que el público creyese que ellos escribían su propio material. El único chiste que recuerdo particularmente de ese especial para la televisión lo había escrito Sam Perrin, un hombre encantador, que había sido el escritor principal de Jack durante más de veinte años. Fue él quien escribió la escena en la que el botones acompañaba a Jack hasta su habitación. El botones señalaba el aparato de televisión y decía que costaba cincuenta centavos ponerlo en marcha.

—¿Cómo lo apago? —preguntaba Jack.

—Eso cuesta un dólar —replicaba el botones.

Una tarde, Jack convocó una reunión de sus escritores en el nuevo apartamento que él y Mary habían alquilado. Acababan de cerrar la enorme casa que tenían en Holmby Hills y habían alquilado un apartamento inmenso en un edificio muy alto en Century City.

Jack nos enseñó el dormitorio que Mary y él ocupaban. La longitud que tenía hacía que pareciera más una pista de bolos. La cama de Jack estaba en un extremo de esta larga habitación y la de Mary en el otro.

Jack comentó que una noche lo asaltó el deseo, se levantó, se puso las zapatillas, se puso su albornoz, atravesó la habitación caminando hasta la cama de Mary y, cuando llegó ahí, había olvidado para qué había ido.

Cuando conocí a George Burns, para divertirnos, nos contó a Arthur y a mí otras historias sobre Jack y él. George nos había convocado a Arthur y a mí para que escribiésemos algunos programas para la serie que estaba produciendo, protagonizada por Juliet Prowse. Poca gente sabe que, después de la muerte de Gracie, George se hizo productor.

George nos habló de la ocasión en que Jack fue a las Vegas para actuar durante treinta días. Cuando llevaba una semana haciendo espectáculos nocturnos, Jack salió de sus hábitos normales de sueño y desarrolló un insomnio. Llamó a George por teléfono para que viniese y lo acompañase porque se sentía muy solo dando vueltas por ahí durante toda la noche. George contó que voló hasta las Vegas para encontrarse con Jack y que, al poco tiempo, él también tenía insomnio. Dijo que tomaron todo tipo de píldoras para dormir y que ninguna de ellas funcionó bien. Simplemente, dormían mal durante la noche y durante el día caminaban aturdidos. Incluso empezaron a hacer sus propias combinaciones, mezclando varias píldoras para dormir a la vez. A veces dormían, pero tardaban horas en conseguirlo.

Fue aproximadamente en esta época, cuando un amigo suyo que era médico llegó de Suiza. Explicó que tenía una nueva poción para dormir. Se trataba de un supositorio. Tanto Jack como George exclamaron, incrédulos, que un supositorio no podría hacerles dormir. El médico les aseguró que era muy eficaz. Jack preguntó si actuaba con rapidez. El médico les aseguró que sí y les entregó un supositorio a cada uno.

Esa noche, antes de irse a dormir, Jack y George se pusieron de acuerdo en que el que se despertara primero llamaría al otro para ver si el supositorio había funcionado. George nos dijo que él consiguió dormir doce horas ininterrumpidas y, poco después de despertar, recibió una llamada telefónica de Jack. Jack también había dormido como nunca y estaba fuera de sí de alegría, y expresó su asombro ante lo rápido que había funcionado en él.

—¿Te hizo efecto rápido, George? —preguntó Jack.

—¿Rápido? Cuando desperté todavía tenía el dedo metido en el culo —replicó George.

En otra ocasión, Jack y él habían ido al Este con un amigo que se había comprado un automóvil nuevo en Nueva York, y decidieron volver a California en él. Jack abrió la puerta del automóvil para que George entrara. George empezó a entrar para sentarse junto al conductor, luego se detuvo y le hizo un gesto a Jack para que entrase:

–Entra tú, Jack, que yo me bajaré* primero –aclaró.

Las carreras de Jack y de George fueron muy similares. Ambos salieron del vodevil y ambos trabajaban con sus esposas. George nos contó que, en una ocasión, en sus días de vodevil, Jack y él se encontraban en pijama esperando a sus respectivas esposas, que aparecerían en cualquier momento. Decidieron gastarles una broma. Se metieron los dos en la cama, se quitaron los pantalones de los pijamas y se colocaron con los traseros desnudos mirando hacia la puerta. Llamaron a la puerta y ellos gritaron: «¡Adelante!»

La puerta se abrió, pero ellos no obtuvieron las risas que esperaban: se volvieron y, de pie en el umbral, con cara de vergüenza y confusión, se encontraba el botones.

George, que está a punto de cumplir los cien años, es, sin duda, el abuelo reverenciado de la comedia. Quizá lo que mejor recuerdo de todo el humor que ha compartido en sus innumerables actuaciones sea un chiste en particular. Fue escrito por Larry Gelbar en la película *¡Oh, Dios!* John Denver le comentó a George, que interpretaba a Dios, que Dios no cometía errores, a diferencia de los seres humanos.

–Eso no es cierto –dijo George–. He hecho una semilla de aguacate demasiado grande.

---

* *N. del T:* Juego de palabras. En inglés, «get off» significa «bajarse de un vehículo», pero también significa «librarse de un castigo».

Bob Hope

Aunque escribí para Bob durante más años que para ningún otro cómico, prácticamente no tuve ningún contacto personal con él. Esto se debió en parte al hecho de que Arthur y yo no formábamos parte de su personal fijo, sino que escribimos varias de sus películas y no tuvimos la necesidad de tener conversaciones personales con él, pero, principalmente, se debió a que Hope viajaba constantemente.

Antes hablé de la extraordinaria vitalidad de Hope. Esta energía le permitió, durante la Segunda Guerra Mundial, viajar a todas las bases del ejército que había en Estados Unidos y en el resto del mundo. Se unió a los esfuerzos de la guerra y fue estandarte de las Barras y Estrellas.

Estas constantes peregrinaciones fueron el origen de una historia bastante conocida sobre el regreso a casa de Bob después de una de esas giras. Uno de sus hijos, que se encontraba jugando en el patio trasero, vio a Bob y le gritó a su madre:

—Eh, mami, Bob Hope está en casa.

Varios años después de mi primer trabajo con Hope en la NBC, me puse en contacto con él cuando se encontraba en una de sus acostumbradas giras por el mundo. Arthur Marx y yo le habíamos hecho llegar una idea original para la pantalla a través de su agente, Louis Schurr.

Louis había dejado nuestro trabajo de dieciocho páginas sobre el escritorio de Hope en su casa del lago Toluca. Bob llegó de uno de sus viajes y se quedó el tiempo suficiente para escoger algo que leer para una futura película. Nos enteramos más tarde que había elegido nuestra historia porque era la que tenía menos páginas.

La comunicación que recibimos de Hope a través de Louis fue algo así:

«Acabo de aterrizar en las Bahamas. Voy por la página diez. De momento, me gusta».

«Ahora estoy en las Antillas y he llegado a la página catorce. De momento, me gusta.»

Terminó de leerlo en algún lugar del Caribe y sellamos un trato. Para Arthur y para mí fue todo un honor que él estuviera dispuesto a que nosotros escribiésemos, los dos solos, toda una película.

En sus días de radio, Hope tenía más escritores en su equipo que cualquier otro cómico. Normalmente había entre diez y quince. Su equipo solía añadir chistes a los guiones de las películas cuando los guionistas los habían completado.

Creo que, llegado este punto, sería apropiado decir algunas palabras sobre las batallas de Bob Hope con los censores de la radio. La censura de la radio en los años cuarenta y cincuenta era muy estricta. Nunca hubiésemos podido meter un chiste como el de Groucho de «Sí, pero yo lo saco fuera de vez en cuando».

Los escritores del equipo de Hope habían ideado un chiste para una cómica, Vera Vague, que Hope presentaba en su programa semanal de radio, que los censores vetaron. Hope fue a batallar y ganó. El chiste, según recuerdo, era que Vera Vague decía: «Los hombres sólo son bebés grandes y yo no los cambiaría por nada en el mundo». Los censores de la NBC calificaron este chiste como chiste sobre pañales y decidieron que no saldría al aire. Como ya dije, Hope ganó la batalla. En estas ocasiones, cuando a él le gustaba un chiste que los censores consideraban subido de tono u obsceno, él era suficientemente poderoso como para decir: «Haré el chiste de todos modos». Los soldados o el público civil para los que estaba actuando oían el chiste, pero la NBC lo sacaba del aire durante la frase punzante. Lo explico para beneficio de todos los que han golpeado sus aparatos de radio cuando éstos emitían una señal aguda durante las transmisiones de Hope.

Recuerdo un chiste de pañales que escribí para Alan Young en sus días de radio. Alan era un cómico menor, pero en la primera época de la televisión tuvo un programa que fue el número uno. En este chiste en particular, Alan se quedaba mirando a un bebé que estaba en su cochecito. El diálogo de Alan era:

—Mira a ese bebé empapado bajo el sol.

Los censores nos reprendieron durante tres minutos después de haber leído el guión.

—Es un chiste de pañal mojado —nos acusaron.

Mi refutación fue:

—Esa gente sí que se empapa bajo el sol.

Los censores dijeron que la gente puede estar empapada bajo el sol, pero cuando un bebé está empapado bajo el sol, es que tiene el pañal mojado. Los acusamos de tener mentes de pañales empapados, pero perdimos la batalla.

Volviendo a Hope, el contacto personal más largo con él fue durante la filmación de una película del oeste que Arthur y yo habíamos adaptado para la pantalla grande. Lo observé en el plató mientras él rodaba las escenas, almorcé con él en su camerino mientras él hablaba por teléfono con varias personas de diferentes partes del país y, al mismo tiempo, un maquillador retocaba su maquillaje. Por lo que pude observar, no estaba quieto ni un momento, había un enorme despliegue de energía en su interior y a su alrededor. Al final del día yo estaba exhausto y Hope estaba listo para salir por la ciudad durante el resto de la noche.

—Bob, ¿nunca te cansas? —le pregunté.

Hope esbozó su rápida sonrisa:

—No tengo tiempo para hacerlo.

Ahora Hope se acerca a los noventa y cinco años, y George Burns está a punto de cumplir los cien. Al observar el modo de funcionar de estos dos hombres, y otros que han alcanzado la longevidad, me he dado cuenta de que su secreto es que han aprendido a conservar la energía desapegándose emocionalmente de la vida de otras personas. Esta gota de sabiduría me fue revelada mientras yo yacía exhausto después del estreno de uno de mis espectáculos de Broadway:

—Se te da sólo aquello que puedes manejar cada día. Si, al final del día, estás cansado, quizá te estés ocupando de algo que le pertenece a otra persona.

Famosos desconocidos

Ha habido muchos cómicos, de gran talento y con un gran material, que han sido desconocidos para la gran mayoría del público.

Entre éstos se encontraba un cómico llamado Uky Sharon. Uky era un cómico de cómicos. A menudo trabajaba como parte del séquito de Hope o de Crosby y era como el bufón de la corte. Siempre hacía que estos dos grandes rieran. Cuando Uky empezó a trabajar profesionalmente, solía aparecer en bares o pequeños clubes nocturnos. Hacía unas parodias muy graciosas. En la época en que estaba de moda la canción *Oh, oh, cómo bailamos la noche en que nos casamos*, Uky cantaba:

«Oh, cómo bailamos la noche en que nos casamos.
Bailamos y bailamos
porque la cama no encontramos».

Otra parodia que solía cantar era la de *Ellos no quisieron creerme*. John Charles Thomas, un gran barítono de la época, puso de moda esta canción. Uky cantaba:

«Y cuando les dije cuán hermosa eras,
Ellos no quisieron creerme;
no, no quisieron creerme…
Que se jodan».

Sam Levinson era un cómico más conocido, aunque nunca tuvo un gran éxito. Recuerdo una historia en particular que él me contó, que era bastante memorable. Era acerca de su familia, compuesta por su madre y diez hijos. En el Día de Colón, no hubo clases y fuera llovía. Los diez niños se encontraban reunidos en la sala de estar, cuando entró la madre de Sam. Ella se quedó pasmada, miró a los niños y dijo:

–¿Qué estáis haciendo todos en casa?

–Mamá, es el Día de Colón –explicó Sam–. Es el día en que Colón descubrió América.

Horrorizada, su madre exclamó:

–¿Un martes?

Joe E. Lewis era otro de los grandes menores. Trabajaba principalmente en Las Vegas, porque siempre estaba en deuda con los jugadores. Tenía un chiste que nunca fallaba con el público. Hablaba de hibridación de flores, de animales, etc. Contaba:

–Conozco a un tipo que cruzó una cabra con otra cabra… y lo que obtuvo fue una cabra muy cabreada.

Contó este chiste en Las Vegas muchas veces y cada vez que lo hacía, conseguía grandes carcajadas.

En una ocasión lo interrogué acerca de la repetición constante de este chiste y de otros.

—¿Cómo haces para seguir consiguiendo hacer reír con los mismos chistes?

—¿Cuántas veces los has visto en mi espectáculo?

—Una docena de veces —repliqué.

—¿Te has reído todas las veces?

Asentí con la cabeza.

—Es así cómo funciona —dijo—. A la gente le gusta reírse del mismo material, hace que se sientan cómodos.

Don Rickles, quien no podría ser clasificado como un famoso desconocido, era uno de mis cómicos favoritos.

Apareció por primera vez en un pequeño club nocturno en La Ciénaga, en Los Ángeles. Las celebridades se dieron cuenta enseguida de lo bueno que era y acudían en masa a verlo.

Una noche, sentado entre el público, se encontraba Gregory Peck, quien acababa de hacer la tan famosa película, *Moby Dick*.

Don se acercó a su mesa y le gritó al público:

—¡Aquí está Gregory Peck, Moby's dick*!

Peck se rió tanto, que casi se cae de la silla.

---

* *N. del T*: en inglés, «dick» es una manera vulgar de decir «pene»; su equivalente en español sería «polla». La traducción literal sería, entonces, «la polla de Moby».

Conocí a Don, cuando se encontraba en la cima de su carrera y me sorprendió descubrir que, cuando no estaba actuando, era un hombre tranquilo, casi tímido.

Cuando Arthur y yo discutimos con él la posibilidad de que interpretara el papel principal en una nueva obra que habíamos escrito, su mujer fue la que más habló. No conseguimos a Don para el papel principal de nuestra obra, titulada *Mi hija es de clasificación X*, pero conseguimos a Paul Lynde.

Paul era uno de los hombres más graciosos que he conocido. Aunque era famoso, nunca actuaba en el circuito de comedias, ya que era básicamente un actor. Actuó en dos obras de teatro que Arthur y yo escribimos y, literalmente, dejó fuera de combate al público.

La lectura de Paul de las frases clave hacía subir los decibelios entre un 10 % y un 15 % por encima de cualquier actor que leyera las mismas líneas. Su personaje siempre era nervioso, aprensivo y cáustico; no era muy diferente de cómo era realmente. Recuerdo que, en una ocasión, mientras iba conduciendo por las Hollywood Hills pasé, inesperadamente, por delante de su casa. Vi a Paul paseando a su perro. Detuve el coche y le llamé:

—¡Hola Paul!

Pegó tal salto que casi se sale de su cuerpo. Después me reconoció y dijo que, emocionalmente, se encontraba peor que nunca. Parece ser que había contraído una doble neumonía y se había ido a Río de Janeiro a disfrutar de los sanadores rayos de sol. Mientras estaba en Río, habían robado en su habitación y se habían llevado sus mejores joyas.

Entonces me dijo:

–Y luego llegamos a casa y encontré que habían entrado a robar. Éste ha sido el peor año de mi vida.

–Paul, dentro de pocos días será la víspera de Año Nuevo –dije– ¿Por qué no olvidas tus problemas y vamos juntos a alguna fiesta de Fin de Año?

Movió la cabeza negativamente:

–No, ¡todavía quedan tres días para que vengan a por mí!

El modo aprensivo que tenía Paul de vivir la vida daba un salto del cien por cien en las noches de estreno de una obra en la cual él tenía que actuar.

En la comedia que escribimos Arthur y yo, titulada *Mi hija es de clasificación X*, Paul tuvo un estado de ansiedad muy elevado durante el ensayo. Me encontraba sentado en un teatro vacío al lado del director, quien me había invitado a dirigir la obra con él. Yo observaba la actuación de Paul cuando, de repente, se detuvo y gritó:

–Bob, ¿podrías subir al escenario, por favor?

Sólo Paul era capaz de reunir tanta aprensión, nerviosismo y pánico en esas pocas palabras.

Subí al escenario y dije, con la voz más tranquila que pude:

–¿En qué puedo ayudarte, Paul?

–Bob –dijo, con un temblor convulsivo en todo el cuerpo–, tengo que hacer mi entrada desde casi ocho metros al fondo del escenario y caminar hasta la parte delantera sin decir una sola palabra.

–Paul –contesté– cuando hagas tu entrada, tu pelo estará revuelto, tu corbata, cortada en dos, te habrán rajado una pierna del pantalón, te faltará una manga de la chaqueta y tendrás barro por todas partes. El público estará mirándote y asimilando la conmoción de tu aparición mientras tú caminas por el escenario. Cuando finalmente te sientes, te sirvas una taza de té y digas: «¡Voy a demandar a los Yankees de Nueva York!», el público va a reír a gritos.

Me lanzó una mirada de pánico y dijo:

–¿Dónde estarás tú la noche del estreno si no lo hacen?

Estando de gira con Paul, éste me contó una experiencia que había tenido cuando actuaba en New Faces, en Broadway. Un crítico presentó a Paul y lo lanzó al estrellato. Una noche, durante la actuación, Paul contó uno de los chistes seguros sobre incendios que había en su monólogo. Obtuvo grandes risas. Una señora del público, que estaba bastante ebria, dijo con sinceridad:

–No lo entiendo.

Este comentario hizo que el público riera aún más. Lo dijo en el momento perfecto y su sinceridad fue inequívoca. Desgraciadamente, la señora se emborrachó también con el hecho de que se hubieran reído con ella y, después de cada chiste, decía:

–No lo entiendo.

Al poco rato, los espectadores querían matarla y los actores estaban preparados para bajar y atacarla.

A pesar de los «shhh» del público, ella persistió. Cuando cayó el telón en el primer acto, el reparto de actores se reunió en torno al director de escena y le dijeron que si no llamaba a la policía y la sacaban de ahí, ellos no saldrían en el segundo acto.

Los actores se reunieron en el camerino de Paul y presentaron un frente unido al director de escena, en caso de que no sacara a la mujer del público. Mientras discutían encolerizados sobre la mujer y su «no lo entiendo», Paul miró casualmente por la ventana y vio que la policía arrastraba a esa mujer, que pateaba y gritaba, hacia el coche patrulla.

Mientras la metían dentro del coche, Paul gritó desde la ventana:

—¡¿Ahora lo entiendes?!

La obra que habíamos escrito Arthur y yo, *Mi hija es de clasificación X*, parecía escrita para Paul. Era un vehículo de lucimiento perfecto para él. Trataba de un padre cuyo trabajo era clasificar películas. Tenia una personalidad «G» y, en su opinión, su hija era de clasificación «X».

Aunque muchos actores han interpretado el papel principal, nunca he visto que ninguno de ellos consiguiera las risas que Paul lograba. La base de la comedia era que su hija se había fugado para casarse y ahora había dejado a su marido y regresaba con su bebé. En la obra, Paul finalmente le ordena a su hija que vuelva con su marido porque están casados. En este punto, la hija, un espíritu libre, replica que ella y Cliff no están exactamente casados.

Paul, temblando de la cabeza a los pies, exige:

—¿Cómo de no exactamente casada estás?

Su hija, Bárbara, responde:

—Bueno, Cliff y yo subimos a una montaña en Hackensack, Nueva Jersey, al amanecer. Cuando llegamos a la cima, nos tomamos de la mano y yo dije «Cliff, te amo». Y él dijo: «Y yo te amo a ti, Bárbara». Y, ahí, en la montaña, rodeados de pájaros, ardillas y ciervos, nos casamos.

Casi apoplético, Paul grita:

—¡Eso no es un matrimonio, eso es el Maravilloso Mundo de Disney!

Paul, que interpretaba basándose tanto en la realidad, era el Maravilloso Mundo de Disney.

Lo eché de menos cuando abandonó esta dimensión.

El último y quizás el más famoso de los desconocidos, fuera Joe Frisco. Joe era un hombre bajito e intenso, con un ligero tartamudeo. El tartamudeo acentuaba sus frases clave. Su sentido de la comedia era muy sorprendente. Recuerdo haber estado sentado con un grupo de gente en el Dave's Blue Room, un restaurante al que solían ir muchas de las celebridades en el Sunset Strip. Todos acabábamos de pedir nuestro almuerzo, cuando Joe se unió a nosotros. Durante la conversación subsiguiente, un chico que vendía periódicos, que era enano, se acercó a nuestra mesa. Esperó un momento a que Joe acabara de hablar, para poder vender su periódico. Su cabeza quedaba justo al nivel del borde de la mesa. Joe se giró, vio la cabeza y se volvió hacia el grupo diciendo:

—¿Q-quién ha pedido un J-juan Bautista?

En otra ocasión, Joe se encontraba en un bar en el Hollywood Boulevard y acababa de pedir una cerveza, cuando entró un personaje de Hollywood conocido como «Pedro el Ermitaño». Éste vestía una larga túnica blanca y tenía una barba igualmente larga. Tenía el aspecto de alguien que se llama «Pedro el Ermitaño». Colocó su moneda de cinco centavos sobre la barra, para una cerveza (lo que demuestra que esto fue hace mucho tiempo).

El camarero llenó una jarra de cerveza, se la puso a Peter y éste se la bebió y se marchó. El camarero se acercó a Joe y le dijo:

–¿Sabe? Todos los días, desde hace diez años, ese personaje viene aquí, pone cinco centavos sobre la barra y pide una cerveza. No puedo imaginar cómo consigue el dinero.

–V-vende c-cuevas –respondió Joe rápidamente.

Quizás la historia más famosa sobre Joe esté relacionada con Charlie Foy. Charlie era dueño de uno de los clubes nocturnos del valle más frecuentados en aquella época. Joe, que era íntimo amigo de Charlie, siempre podía encontrar un trabajo ahí. Y, como Joe solía estar arruinado, acababa casi siempre como invitado de la casa de Charlie.

En una de esas ocasiones, Charlie llegó a casa a eso de las dos de la mañana con unos clientes importantes. Para la ocasión, Charlie había comprado un pavo de veinticinco libras que tenía guardado en la nevera. Cuando abrió la puerta de la nevera, el pavo ya no estaba: él único sospechoso era Joe. De modo que Charlie entró furioso en la habitación del fondo, donde se encontraba Joe, profundamente dormido. Sacudió a un Joe que roncaba:

–¡Joe, despiértate!

Joe despertó, miró a Charlie medio dormido y dijo:

—¿Q-qué p-pasa, Ch-charlie?

—Te diré lo que pasa, ¡ingrato! Sabías que yo tenía un pavo en la nevera para mis invitados de esta noche.

Joe, desconcertado, replicó:

—N-no lo c-comprendo, Ch-charlie.

—Te has comido un pavo de veinticinco libras.

—N-no he hecho e-eso, Ch-charlie. T-te lo j-juro —replicó Joe.

—No me mientas. Tú eras la única persona en la casa. ¡Te has comido mi pavo de veinticinco libras!

Joe, prácticamente con lágrimas en los ojos, dijo:

—Te j-juro que n-no… ¡pésame!

Quizá la historia más graciosa que recuerdo fue la que me contó Jan Murray. Jan era otro hombre muy gracioso, no tan conocido por el público. Fue invitado, junto con otros de los cómicos más importantes, a hablar en un espectáculo para Sammy Davis, Jr. Jan dijo que él era el menos conocido de todos los cómicos y que sería el último de la lista en actuar. Había preparado todo tipo de chistes que podían estar relacionados con Sammy, chistes de negros, chistes de negros que se convertían en chistes de judíos, chistes sobre negros casados con blancas, etc. Tenía unos treinta chistes en la hoja de papel y, cuando Milton Berle, Bob Hope, Jack Benny, George Burns y otros de ese nivel, hubieron acabado, habían utilizado todos los chistes que él tenía escritos.

Cuando finalmente llamaron a Jan para actuar, no tenía la más remota idea de lo que iba a decir. Nos dijo que se le ocurrió de camino hacia el podio.

Dijo:

–Todos hemos venido a rendir un homenaje a Sammy Davis, Jr., esta noche, pero quizá, de todos vosotros, el que mejor lo ha conocido haya sido yo. Veréis, Sammy y yo crecimos juntos en la misma casa, mi padre nos crió como hermanos. Sammy y yo compartíamos el mismo dormitorio, compartíamos la ropa y nos queríamos como hermanos. Me partió el corazón cuando mi padre lo tuvo que vender.

Jack Para, quien alguno de vosotros recordará como anfitrión de su programa de entrevistas, era un escritor de comedia que se convirtió en cómico. Uno de sus chistes más famosos era «Ella se degolló a sí misma y fue encontrada muerta en un charco de 7-up».

Aquellos de vosotros que recuerdan la radio de hace muchos, muchos años, recordarán a Goodman Ace de «Easy Aces». Goody, que era como lo conocían muchos de sus amigos, era un verdadero talento. Una noche, cuando salía del teatro donde estaba en cartel la obra de *Soy una cámara*, un entrevistador con una cámara corrió hacia Goody y dijo:

–¿Qué piensa de *Soy una cámara*?

Goody, sin durarlo, respondió:

–Ninguna Leica.

Fred Allen, quien ciertamente no es un cómico desconocido, era muy ingenioso. Su comedia era mucho más sofisticada para su época que el material de otros cómicos, pero no tenía un gran público. Jack, que era un íntimo amigo suyo, lo ayudó a mantenerse vivo en la radio empezando una discusión con él, y la gente empezó a sintonizar con Fred Allen sólo para averiguar lo que él tenía que responder a Jack y viceversa. Esto les ayudó a los dos a subir sus índices de audiencia.

Fred escribía muchos de sus chistes. Uno que recuerdo fue emitido cuando la Navidad estaba próxima. Hablaba del derribo del «el»* de la Sexta Avenida. Y dijo Fred:

—En el resto del mundo es Navidad, pero en la Sexta Avenida es No-el".

Me viene a la mente otro incidente con Joe Frisco. Fue llamado a acudir a las oficinas del IRS por impuestos atrasados. Hizo los arreglos con los agentes del IRS para pagar en cuotas mensuales. Al salir de las oficinas, vio a Eddie Cantor esperando en la recepción. Eddie parecía muy nervioso y preocupado. Joe le dijo:

—Eddie, ¿q-qué estás haciendo aq-quí?

Edie respondió, preocupado:

—Debo veinticinco mil dólares en impuestos atrasados.

Joe abrió la puerta que conducía al despacho del IRS y gritó:

—Eddie es am-migo m-mío. ¡P-pónganlo a mi cuenta!

---

* *N. del T.:* «El» es como se le llama, de forma abreviada, al «elevated railroad», que en español sería «vía férrea elevada».

Sea su propio cómico
Cómo escribir
sus propios chistes

Muchas personas... Bueno, por lo menos dos... Me han pedido que les enseñe a ser graciosas. El querer reír o hacer reír a los demás, es inherente a nosotros desde el nacimiento. En el próximo capítulo explicaré por qué. El verdadero humor del universo fluye a través de nosotros cuando no estamos bloqueándolo con todas nuestras ideas y nuestros hábitos estructurados.

En mi libro, *El caballero de la armadura oxidada*, escribí acerca de perder la estructura (armadura) para que podamos estar más cerca de lo que somos realmente. Cuanto más nos acercamos a lo que realmente somos, más libremente fluimos y nos relacionamos.

La primera acción que sugiero es romper con los viejos hábitos. Empiece por las cosas simples, como el conducir a casa de vuelta del trabajo por el mismo camino que tomó de ida. Tome un camino nuevo. Si camina hasta la tienda de comestibles por un camino fijo cada día, tome un camino distinto. El hecho de romper un hábito hace que sea más fácil romper otro.

Salga del hábito de dar respuestas triviales a preguntas triviales. Hace unos años, por ejemplo, sonó el teléfono. Levanté el auricular y la voz al otro lado dijo:

—¿Es usted Robert Fisher?

—Constantemente —respondí.

Seis meses más tarde, cuando ya me había quitado gran parte de mi armadura, me hicieron la misma pregunta por teléfono:

—¿Es usted Robert Fisher?

—Sí —contesté—, pero estoy deseando librarme de él.

Examinemos el saludo que se dan unos a otros, «¿Cómo estás?». Hay muy pocas personas que realmente quieran saberlo o a las que les importe. Yo desaliento esta pregunta trivial de «¿cómo estás?» replicando, «¿tienes el resto del día libre?».

Sea espontáneo. En una ocasión, cuando había acabado de hablar con el público, una mujer se puso de pie y dijo:

—Ha estado usted absolutamente fascinante.

—Si lo hubiera sabido —repliqué—, hubiera escuchado lo que acabo de decir.

En otra ocasión, un hombre me dijo que mi libro, *El caballero de la armadura oxidada* era uno de los mejores libros que había leído jamás.

—Aprecio su inteligencia —le respondí.

Ahora bien, en cualquiera de los dos casos, podría haberles dado las gracias con las habituales palabras aburridas de gratitud. No obstante, elegí permitirme decir la primera cosa que se me ocurriera.

Admito que decir lo primero que te viene a la mente requiere una gran confianza. Las recompensas de confiar en uno mismo son estupendas. Cuando más deje uno de pensar y se limite a dejar que el libre fluir de la conciencia hable a través de sí mismo, más ocurrente y gracioso será.

Recuerdo que, una noche, en una fiesta, Isabel, mi quinta esposa, estaba inmersa en una conversación con unos amigos nuestros. Isabel, una dama guapa y alegre, normalmente habla de un modo muy directo y no tiene la menor idea de cómo construir un chiste. Esa noche en particular fue capaz de desviarse de su camino. Uno de sus amigos le preguntó cómo se sentía respecto a la diferencia de edad que había entre nosotros (Isabel era 32 años menor que yo).

Oí que respondía:

—Bueno, cuando Robert se estaba divorciando de su segunda mujer, yo nací —y vio con asombro las grandes carcajadas que había provocado— y cuando Robert se estaba divorciando de su tercera mujer —continuó—, yo estaba en las Girl Scouts —grandes carcajadas otra vez. Miré a Isabel. Su rostro estaba resplandeciente y ella estaba embriagada con el éxtasis de hacer reír a la gente.

Por cierto, encuentro que haber tenido cinco esposas ha agudizado mi sentido del humor. Si uno se ha casado tantas veces y no ha encontrado algo de qué reírse, tiene un serio problema.

Uno de mis cómicos favoritos era Milton Berle. Recuerdo que, en una ocasión, Milton Berle me dijo cuál era la diferencia entre un cómico que era actor y un actor que era sólo actor. Dijo:

–Chico (Milton me conoció cuando yo tenía vientipico años y me llamaba «chico». Cincuenta años más tarde, sigue llamándome así), un actor sale a escena y dice una frase, entonces consigue hacer reír. Un cómico se limita a salir a escena.

De todos los cómicos, Milton es probablemente la enciclopedia de chistes más extraordinaria que he conocido. Los registra, los archiva y los extrae en el momento preciso. Milton, dicho sea de paso, es también un mago maravilloso. Es extremadamente hábil con las cartas y, cuando repartía, era capaz de cambiarme las cartas sin que pudiera percibirlo. Milton es, además, un excelente actor dramático.

Aunque quizás aquellos lectores que deseáis ser divertidos no lleguéis a ser un Bob Hope o un Milton Berle, podéis expresaros a través del humor si estáis dispuestos a confiar en vosotros mismos. Tenéis que estar dispuestos a correr el riesgo de parecer estúpidos o de que la gente no se ría. Pero, la vida consiste en correr riesgos y en confiar, ¿o no?

El poder sanador de la risa

Estoy muy agradecido a todos los cómicos para los que he escrito por permitirme expresar la risa a través de ellos.

En aquella época, no tenía ni idea de que los miles de chistes que había escrito y que hacían reír a la gente, incluyéndome a mí, un día me salvarían la vida.

La risa es la clave para la ACEPTACIÓN, y la aceptación es la clave para la vida. ¿Aceptación de qué? Del poder superior, del fluir de la dicha y la abundancia que están siempre disponibles en el Universo o en la Fuente de nuestro Dios, o como uno quiera llamarlo. La aceptación nos permite dejar ir nuestros deseos individuales y recibir la abundancia de dicha y amor del Universo. Cuando uno ríe, se encuentra en el mayor estado de aceptación.

Cuando me encontraba en el comienzo de la cuarentena, los médicos, después de examinarme, llegaron a la conclusión de que estaba en estado terminal. En su opinión, me quedaban, aproximadamente, dos meses de vida. En ese momento, oí lo que me pareció una vocecita que susurraba en mi interior y me decía: «No vas a morir, no has terminado lo que has venido a hacer aquí».

Como he dicho, la risa me condujo a un estado de aceptación y, creedme, fue necesaria una gran aceptación para creer que había oído una voz. No tardé más de una hora en dudar de haberla oído. Entonces, dije:

—Si esta voz existe, quiero oírla en el momento en que despierte por la mañana, cuando esté despejado».

A la mañana siguiente, desperté. La voz que oí no fue un susurro, fue como un trueno. Provenía de todas partes, de ninguna parte, provenía de mí y, sin embargo, no provenía de mí. Me llenó, la habitación.

Pero siempre había pensado que, si oía una voz así, me diría algo sagrado, como en una película de Cecil B. DeMille.

La voz dijo:

—NOXZEMA.*

Yo dije:

—¡¿Qué?!

La voz repitió:

—NOXZEMA.

Todo lo que fui capaz de decir fue:

—¿Dios es un anuncio de publicidad?

Yo sabía que Noxzema era muy buena para la piel.

Bueno, lo cierto es que tenía algunos granitos en el rostro, pero, cuando uno va a morir, normalmente tiene la suficiente toxicidad como para provocar granos. Yo

* Noxzema es una marca de crema para la piel.

tenía un poco de Noxzema en mi botiquín. Me puse un poco en la cara y, a los pocos días, los granos habían desaparecido y, unos días más tarde, las arrugas más superficiales de mi rostro empezaron a desaparecer.

Comenté para mí mismo que estaba muriendo en mi interior y estaba siendo sanado en el exterior. A esas alturas, dudaba de haber oído la voz. De modo que volví a pedir oír la voz en cuanto despertara.

Efectivamente, a la mañana siguiente, al despertar, oí la resonante voz que decía:

—Nada de aceitunas, nada de aceite de oliva.

Una vez más, dije:

—¿Qué?

La voz repitió pacientemente:

—Nada de aceitunas, nada de aceite de oliva.

Dejé de comer aceitunas y aceite de oliva, y mi digestión empezó a mejorar.

Yo no podría haber estado más encantado. Me dije que escucharía a esta voz y haría todo lo que me dijera, y sanaría… Así que, naturalmente, nunca más volví a oír la voz.

Sin embargo, en lugar de eso, empecé a oír-sentir. Se me informó que debía escribir un libro llamado *El caballero de la armadura oxidada*. El libro me fue dictado por este susurro durante los seis años siguientes.

La voz dijo también que me dictaría las obras de teatro, los libros, las películas y la música que había de escribir. Escribí el libro en este estado de aceptación y de obediencia.

Es en este estado de aceptación y de obediencia que uno es capaz de ir más allá del intelecto del ego y oír y experimentar los milagros del Universo.

Las bromas que he escrito durante medio siglo eran, sobre todo, insultos que relajaban a las personas, especialmente a las mujeres. La manera que tienen los cómicos de escribir y representar el humor se basa en el cambio. Ahora estamos en una época en la que estamos aprendiendo a amarnos a nosotros mismos, y amándonos a nosotros mismos podemos amar a los demás. Los humoristas y escritores tienen, desde ahora, la oportunidad de hacer un humor positivo que nos ayude a elevar nuestras vidas a través de la risa.

A veces la gente me pregunta cuál es el mayor milagro que he experimentado. Les respondo:

–Yo… sigo vivo.

Hasta este momento de mi vida, he tenido varias experiencias cercanas a la muerte y, de hecho, en una ocasión llegué a morir, pero se me dijo que debía regresar, ya que no había acabado lo que había venido a hacer aquí.

Durante la mayor parte de mi vida, he tenido un gran temor a la muerte. Aprendí que la muerte era temida por tantas personas porque se aferraban desesperadamente a la vida. Aprendí de mi querido amigo y mentor, el doctor Robert Sharp, que, para vivir, uno tiene que perder la vida.

Es muy difícil que nuestro ego intelecto «deje ir». Cuando dejamos ir, podemos experimentar esa abundancia de dicha, de amor y de energía que mencioné antes, y como también dije, la risa ha sido una de mis claves para dejar ir. Repito que es muy difícil oponer resistencia cuando uno se está riendo.

Poco después de oír la voz por primera vez, oí que «acabaría viviendo con un pequeño gurú llamado

Jarnardan». Viví con él tres semanas que me cambiaron la vida… no en la India, sino en Beverly Hills, California. En aquella época, yo no sabía mucho de gurús, excepto que eran sabios y que uno podía aprender algo de la vida con ellos.

Este gurú se pasaba la mayor parte del tiempo soltando risitas. Me pregunté cómo se suponía que tenía que aprender algo de un pequeño idiota que se pasaba el día soltando risitas. Treinta años más tarde supe por qué se reía constantemente y de qué se reía constantemente… de la existencia. De la lucha por el amor, por la abundancia, que ya están ahí para todos nosotros. Nosotros colocamos barreras de temor, de duda y de desesperación. No-sotros erigimos estas barreras que nos separan de todas las cosas que ya tenemos. En mi libro, *El caballero de la armadura oxidada*, llamo a estas barreras «armadura».

Recuerdo cómo nos conocimos el gurú Jarnardan y yo. Me dijeron que fuera a donde vivía y que llevara una fruta y una flor y se las ofreciera. Él estaba viviendo en el Hotel Ambassador, uno de los más lujosos de Los Ánge-les. Supuse que ser gurú debía ser un buen negocio. Cuando llamé a la puerta, me hizo pasar uno de sus discípulos, que hablaba inglés; el gurú no lo hablaba.

Estaba sentado delante de una mesa baja en un rincón de la habitación, mirando a los ojos de una imagen de su Maestro, que estaba sobre una mesa de baraja baja. Se puso de pie, se volvió y me miró. Tenía un rostro dulce, con los ojos más grandes que he visto jamás.

Medía aproximadamente un metro y sesenta centímetros, pero la energía que emanaba de él era tanta, que caí de rodillas ante él, temblando. Además, ante mi sorpresa, me encontré diciendo: «Estoy en mi hogar». El pequeño gurú me agarró cada hombro con sus dedos pulgar e índice y me levantó hasta ponerme de pie. En aquella época, yo pesaba unos setenta y cinco kilos y medía un metro y ochenta centímetros de altura. Él debía pesar unos cuarenta kilos.

El hecho de haber sido levantado de ese modo me hizo darme cuenta de que necesitaba saber aquello que este hombrecito con túnica blanca sabía. Me enseñó telepáticamente. Dijo que tenía una ventaja para aprender a amar la vida, porque era capaz de reír. El otro modo en que yo debía aprender a amar y a apreciar era a través de las lágrimas. En *El caballero de la armadura oxidada* escribí sobre esta parte de mi aprendizaje.

Agradezco a todos los actores que nos llevan a las lágrimas y a todos los cómicos que nos llevan a la risa.

En mi sendero de risa en este último medio siglo, me he dado cuenta de algo sorprendente. ¡La gente tiene miedo de reír!

La gente desea reír, pero tiene miedo de hacerlo. Esto es especialmente cierto cuando están solos o en grupos pequeños. Arthur Marx y yo preferimos que nuestras comedias se interpreten en teatros con no menos de doscientas o trescientas butacas. Parece como si las personas tuvieran que oír a otro reír antes de arriesgarse a reírse ellas.

Que la gente desea reír, está demostrado por las enormes sumas de dinero que se gasta en la comedia. Los actores mejor pagados son los cómicos.

Uno de los primeros incidentes que me llamaron la atención ocurrió durante el preestreno de la obra de

Arthur y mía, *Los años imposibles*, protagonizada por Alan King. Era la última noche del preestreno. Al día siguiente, vendrían los críticos y escribirían sobre nosotros. Yo estaba sentado detrás de dos encantadoras mujercitas judías que se rieron a carcajadas durante toda la obra. Cuando cayó el telón y se encendieron las luces, una se volvió hacia la otra y dijo:

—Bueno, ¿qué te ha parrecido?

La otra dama replicó:

—Esperremos hasta mañana, a verr que dicen las críticas.

Le di un golpecito en el hombro y le dije:

—Señora, no he podido evitar oírla. ¿Por qué cree usted que tiene que esperar a las críticas, si se ha reído durante toda la obra?

Ella asintió con la cabeza y replicó:

—Sí, pero yo podría estar equivocada.

Esto me llevó a realizar un estudio sobre la risa.

Cuando uno ríe, todas sus células son sacudidas vibratoriamente, de modo que uno no es la misma persona que era antes de reír. Esto significa que la estructura de las células, sobre la cual uno basa su identidad, se ha modificado o ha cambiado, de modo que uno no es exactamente el mismo que era antes de reír. En otras palabras, parte del ego ha muerto.

Uno sabe esto intuitivamente, si tiene en cuenta la expresión, «reí tanto que pensé que me iba a morir» o «casi me muero de risa».

Más adelante, la ciencia demostró que esta sacudida vibratoria que uno experimenta cuando ríe es muy sanadora para el cuerpo. Por una razón, se liberan endorfinas, las cuales elevan el nivel de alegría. El chocolate contiene endorfinas, por eso tiene tanto éxito. La risa, sin embargo, tiene muchas menos calorías.

Norman Cousins, en su libro, *Anatomía de una enfermedad*, describe cómo se curó de su leucemia viendo películas de Harold Lloyd, Chaplin y de los hermanos Marx. Su risa al ver las películas elevó el nivel vibratorio de las células. Así se curó del cáncer.

Doce años antes de que Norman Cousins escribiera su libro, yo experimenté la curación de un cáncer a través de la risa. En mi caso, escribí mis propios chistes y me reí de ellos. Era mucho más barato que alquilar películas. La gente suele preguntarme cómo puedo reírme de mis propios chistes, y yo respondo:

—Es la primera vez que los oigo.

Os animo a todos vosotros, lectores, como lo hago con los grupos ante los que hablo, a no esperar a que alguien os haga reír.

Cuando las piedras y las flechas del terrible destino os golpeen en la vida cotidiana en este planeta, os sugiero que empecéis a reír. Al principio, la risa puede ser forzada, lo cual provocará una disonancia en el cuerpo. El cuerpo, a su vez, creará una auténtica risa.

De hecho, os animo a que lo probéis ahora mismo... Yo también lo haré. Me sentiré realizado sabiendo que nos separamos en medio de risas.

Fin

Índice

Prefacio 9

Groucho 11

Amos y Andy 31

Fanny Brice 47

Jack Benny & Georges Burns 55

Bob Hope 65

Famosos desconocidos 71

Sea su propio cómico. Cómo escribir
   sus propios chistes 83

El poder sanador de la risa 87